100
RECEITAS
PREFERIDAS

Palmirinha

100 RECEITAS PREFERIDAS

Editora ALAÚDE

Copyright © 2012 Alaúde Editorial Ltda.

Todos os direitos reservados. Nenhuma parte desta edição pode ser utilizada ou reproduzida – em qualquer meio ou forma, seja mecânico ou eletrônico –, nem apropriada ou estocada em sistema de banco de dados sem a expressa autorização da editora.

O texto deste livro foi fixado conforme o acordo ortográfico vigente no Brasil desde 1º de janeiro de 2009.

> **Esta edição reúne as receitas anteriormente publicadas nos livros**
> ***As 50 receitas preferidas por Palmirinha* e *50 receitas fáceis e rápidas por Palmirinha.***

Consultoria nutricional: Vanessa Prieto – CRN 21645
Revisão: Olga Sérvulo
Projeto gráfico: Cesar Godoy
Capa: Rodrigo Frazão
Foto da autora: Ricardo Beccari
Fotos dos pratos: Caio Mello, Rogério Andrade e Sidney Tuma (sob licença de Emporium de Ideias Serviços Editoriais Ltda.)
Ilustrações: ©Sergei Razvodovskij/Dreamstime.com (capa), ©Kydriashka/Dreamstime.com (miolo)
Agenciamento: 2mb Licenciamento, Marketing, Representações

Impressão e acabamento: Intergraf Ind. Gráfica Eireli

1ª edição, 2012 (3 reimpressões)

Dados Internacionais de Catalogação na Publicação (CIP)
(Câmara Brasileira do Livro, SP , Brasil)

Onofre, Palmirinha
     100 receitas preferidas / Palmirinha. -- São Paulo : Alaúde
Editorial, 2012.

     ISBN 978-85-7881-143-3

     1. Culinária (Receitas) I. Título.

12-13780   CDD-641.5

Índices para catálogo sistemático:
1. Receitas : Culinária : Economia doméstica 641.5

2015
Alaúde Editorial Ltda.
R. Hildebrando Thomaz de Carvalho, 60
CEP 04012-120 - Vila Mariana - São Paulo - SP
Telefax: (11) 5572-9474 / 5579-6757
alaude@alaude.com.br / www.alaude.com.br

Apresentação

Amiguinhas e amiguinhos,

É com muita alegria que reuni aqui as receitas publicadas nos meus dois livros anteriores. Agora em edição luxuosa, algumas das minhas receitas preferidas e mais famosas estão nestas páginas, desde carnes suculentas e massas apetitosas a bolos fofinhos e sobremesas deliciosas.

Escolhi pratos que utilizam toda a variedade de ingredientes que temos à nossa disposição e expliquei o modo de preparar passo a passo, para ajudar até mesmo a quem esteja começando agora a cozinhar. Aproveito para também compartilhar com vocês minhas dicas e meus segredinhos, aprendidos em tantos anos cozinhando em casa e na televisão.

Espero que, com este livro, vocês possam reunir a família e os amigos ao redor da mesa para conversar bastante e passar bons momentos de diversão.

Preparem as receitas com carinho, encham seu lar de amor e contem sempre com a vovó Palmirinha para ajudá-los na cozinha!

Um abraço,
Palmirinha Onofre

Sumário

Segredos da Palmirinha 9
  Geladeira e freezer 10
  Está na época!.. 11
  Dicas para salgadinhos 11
  Dicas para frituras..................................... 12
  Dicas para carnes, aves e peixes 12
  Dicas para pães, tortas e bolos.................. 17
  Dicas para massas e molhos 18
  Dicas para sobremesas............................... 19
  Tabela de medidas caseiras........................ 19

Receitas básicas... 21
  Massa para salgadinhos fritos.................... 21
  Molho de tomate 21
  Molho branco 22
  Pão de ló 22

  Chantili... 22
  Marshmallow... 22

Petiscos e salgadinhos 23
Sopas e saladas 29
Carnes 38
Aves 52
Peixes e frutos do mar 64
Massas e molhos 78
Acompanhamentos 90
Tortas e pães salgados 103
Tortas e pães doces 113
Bolos e docinhos 120
Sobremesas 130

Índice alfabético das receitas 150

Segredos da Palmirinha

Antes de preparar a receita, preste atenção às seguintes dicas:

- Leia toda a receita! Nunca comece a receita sem antes ler com atenção todos os detalhes do preparo.
- Escolha o recipiente certo para a sua receita! Isso influenciará no tempo de preparo, na consistência e na aparência.
- Separe os ingredientes e utilize as medidas indicadas na receita. Se for necessário picar, retirar a pele ou qualquer outro tipo de pré-preparo do alimento, faça-o antes de acender o fogo e começar a receita!
- Assim que tiver todos os ingredientes prontos para o uso, inicie o preparo. Lembre-se de que, se um dos ingredientes faltar ou não estiver disponível na temperatura indicada, o resultado final da receita pode ficar prejudicado.
- Caso a receita solicite que o forno seja preaquecido, procure deixá-lo na temperatura indicada 15 minutos antes de colocar o prato ou a assadeira.
- Para o preparo de receitas de liquidificador, como bolos e tortas, coloque no copo do liquidificador primeiro os ingredientes líquidos e depois os sólidos.

- A carne assada fica mais saborosa e suculenta se você regá-la a cada 20 minutos com o caldo e o tempero da assadeira enquanto ela estiver no forno.
- A massa do macarrão deve ser cozida na água fervente com sal até que fique al dente. Não é necessário colocar óleo ou azeite na água para o cozimento!
- Tempere as saladas, especialmente as de folhas, apenas na hora de servir. Isso evitará que as folhas murchem ou queimem com o tempero.
- Dê preferência aos temperos naturais nas receitas. Além de saudáveis, são aromáticos e deixam os pratos mais bonitos e saborosos!
- A farinha é um ingrediente essencial, especialmente nas massas. Por isso, peneire-a antes de utilizá-la e incorpore-a aos poucos para que possa sentir a textura e usar a quantidade ideal de farinha.
- Para conservar o pão fresquinho, assim que retirá-lo do forno, coloque-o sobre uma grade para que possa esfriar sem que fique úmido. Em seguida, coloque-o em saco plástico fechado. Na hora de consumir, aqueça-o no forno.

Geladeira e freezer

A organização é uma grande aliada quando falamos em preparar receitas de forma prática. E isso não se limita apenas a separar os alimentos que serão utilizados na receita, mas inclui também o tempo que você leva para acondicioná-los na geladeira ou no freezer e encontrá-los na hora de usar. Será que você está fazendo da forma adequada? E preservando a qualidade do alimento?
Para ter essas respostas, é importante que você preste atenção aos locais indicados para o acondicionamento de cada tipo de alimento.

Geladeira

- A prateleira superior é a região mais refrigerada. Por isso, dê preferência para colocar nesse local os alimentos que já foram preparados, os embutidos (presunto, salame, salsicha, entre outros) e os queijos.
- Na prateleira intermediária você pode colocar os alimentos semiprontos, por exemplo, legumes e verduras que estão higienizados e prontos para ser utilizados. Além desses alimentos, você poderá organizar também os ovos, a caixa de leite aberta e os alimentos que estavam enlatados. Importante: nunca guarde a lata aberta na geladeira. Caso tenha utilizado algo enlatado, coloque o conteúdo que não foi consumido em uma tigela, tampe-a e deixe-a na geladeira.
- A prateleira inferior deve ser reservada para os alimentos que serão descongelados, uma vez que o descongelamento nunca deve ocorrer na temperatura ambiente. Lembre-se sempre de retirar o alimento do freezer, colocá-lo em uma vasilha, cobri-lo com plástico filme e deixá-lo na geladeira para descongelar.
- A porta da geladeira é o local em que a temperatura mais oscila e isso ocorre principalmente nas casas onde os moradores têm o hábito de abrir a geladeira muitas vezes ao dia. Por isso, é de suma importância que esse local seja reservado para acondicionar refrigerantes, sucos, garrafas e latinhas, assim como outras embalagens bem vedadas (maionese industrializada, ketchup e mostarda).
- As gavetas são os locais mais protegidos da geladeira e devem ser reservadas para alimentos delicados, como verduras, legumes e frutas.
- Lembre-se de que, independentemente do local em que estão acondicionados, os alimentos processados, fatiados ou descascados estragam mais rapidamente do que os que estão íntegros.

Freezer

- Procure deixar os pratos congelados na prateleira de cima; as carnes, as aves e os peixes na prateleira de baixo, e o gelo nos demais nichos.
- É importante que os produtos congelados estejam etiquetados com informações sobre a data de preparo, no caso dos pratos prontos congelados, e a data de compra ou congelamento, no caso dos alimentos comprados in natura, para que você tenha controle sobre o vencimento.
- Mãos à obra! E aproveite as vantagens que a organização de sua geladeira e freezer vão proporcionar no que diz respeito a tempo e saúde de toda a família!

Está na época!

Nada melhor do que aproveitar as frutas, os legumes e as verduras que estão na época para prepararmos deliciosas receitas! Além de estarem com os melhores preços, os vegetais que estão na época possuem qualidade superior!

Janeiro, fevereiro e março

Abacate, abacaxi, ameixa, banana, carambola, figo, fruta-do-conde, goiaba, jaca, limão, maçã, mamão, maracujá, melancia, pêssego, tangerina, uva itália, uva rubi e uva estrangeira.
Abóbora, abobrinha, berinjela, beterraba, chuchu, jiló, pepino, pimentão, quiabo e tomate.
Acelga, alface, alho-poró, escarola, milho e rúcula.
Alho e cebola.

Abril, maio e junho

Abacate, banana, caqui, jaca, kiwi, laranja, maçã, mamão, mexerica, pera, tangerina e uva estrangeira.
Abóbora, abóbora japonesa, abobrinha, batata-doce, berinjela, beterraba, cenoura, chuchu, ervilha, mandioca, mandioquinha e pepino.
Agrião, alface, alho-poró, almeirão, brócolis, cenoura, escarola, milho e rabanete.
Alho, cebola e pinhão.

Julho, agosto e setembro

Abacaxi, caju, kiwi, laranja, maçã, mexerica, morango, pera e tangerina.
Abóbora, abóbora japonesa, abobrinha, batata-doce, ervilha, mandioca, mandioquinha e pimentão.

Agrião, alho-poró, almeirão, brócolis, cenoura, chicória, couve, couve-flor, escarola, espinafre, milho, rabanete e rúcula.
Alho e cebola.

Outubro, novembro e dezembro

Abacaxi, acerola, banana, caju, figo, laranja, lichia, limão, maçã, mamão, manga, maracujá, melancia, melão, pêssego, romã, tangerina, uva itália e uva rubi.
Abóbora, abóbora japonesa, abobrinha, alcachofra, cenoura, ervilha, pepino, pimentão e tomate.
Alho-poró, almeirão, beterraba, brócolis, chicória, couve-flor, espinafre, rabanete e rúcula.
Alho e cebola.

Dicas para salgadinhos

Risoles
Para fazer risoles, abra porções de massa com um rolo e corte círculos com o auxílio de um cortador ou uma vasilha redonda. Recheie, una as bordas, passe pelo ovo e farinha de rosca e frite em óleo quente.
Sugestões de recheio
Refogado de palmito; presunto, queijo e orégano; queijo Catupiry©, camarão ou o recheio de sua preferência.

Croquetes
Para fazer croquetes, abra uma porção de massa na palma da mão, recheie e feche o croquete. Passe pelo ovo e farinha de rosca e frite em óleo quente.
Sugestões de recheio
Refogado de carne moída, carne seca ou o recheio de sua preferência.

Coxinha

Para fazer coxinhas, abra uma porção de massa na palma da mão, recheie e modele a coxinha. Feche bem para retirar o ar de dentro dela. Passe pelo ovo e farinha de rosca e frite em óleo quente.

Sugestões de recheio

Refogado de frango, frango com Catupiry©, carne seca ou o recheio de sua preferência.

Bolinha de queijo

Para fazer bolinhas de queijo, adicione à massa mais 50 g de queijo parmesão ralado, abra uma porção de massa na palma da mão, coloque um pedaço de queijo mozarela e modele a bolinha. Feche bem para retirar o ar de dentro dela. Passe pelo ovo e farinha de rosca e frite em óleo quente.

Dicas para frituras

Fritar é uma operação muito simples, mas para que o alimento saia sequinho, saboroso e ligeiramente crocante é indispensável conhecer algumas técnicas e truques:

- O recipiente ideal para frituras é uma frigideira grande de bordas altas, para receber bastante óleo e, de preferência, com uma cestinha removível para escorrer os alimentos depois de fritos.
- Ao fazer frituras, coloque um pouco de sal no fundo da frigideira, para a gordura não espirrar.
- Coloque o alimento aos poucos no óleo, para que ele não o esfrie e encharque a fritura. Mergulhando poucas unidades de cada vez, imediatamente se forma uma crosta, que impede a saída dos sucos do alimento e a entrada do óleo.

- Nunca use garfo para retirar o alimento da frigideira, para não furá-lo, o que provocaria a saída de seus sucos. Use uma escumadeira ou espátula. Em seguida, deixe escorrer bem sobre papel absorvente.
- Bolinhos e croquetes exigem óleo fervente, pois cozinham rapidamente por dentro e por fora, ao mesmo tempo.
- Se o óleo usado estiver limpo e livre de resíduos e cheiros, filtre-o em um coador de papel e reaproveite-o em outras frituras do mesmo tipo. Não faça isso mais de uma vez, pois o óleo tende a formar perigosas substâncias tóxicas, além de adquirir cheiro e gosto desagradáveis.
- Para fazer uma fritura na manteiga, acrescente uma colherinha de óleo. Assim a manteiga não queimará.
- Para evitar o mau cheiro de frituras, ferva ao lado, numa panelinha, uma casca de laranja, em fogo baixo.
- Antes de fritar, jogue no óleo um palito de fósforo. Quando ele acender, retire com um garfo. Isso significa que o óleo já está quente o suficiente para ser usado.

Dicas para carnes, aves e peixes

Carne bovina

Muito utilizada na culinária brasileira, a carne bovina permite diversos preparos. Para consumir um produto de qualidade, é fundamental prestar atenção ao momento da compra. Para reconhecer uma carne de boa qualidade, atente-se à seguintes características:

- a consistência deve ser firme e, principalmente, compacta;
- a gordura deve ter a cor amarelo-clara, como manteiga, e ser firme;
- a cor deve ser vermelho-brilhante;
- a aparência deve ser seca, que não esteja transpirando ou, pior ainda, melando;
- o cheiro deve ser agradável (se tiver cheiro suspeito, recuse-a, pois pode ser prejudicial à saúde).

Os cortes

Na hora de escolher o corte de uma carne bovina, é preciso ter em mente a maneira que ele vai ser utilizado, pois há cortes apropriados para cada tipo de preparo: grelhado, cozido ou assado. Assim, para se obter um resultado satisfatório ao fazer uma receita com carne, é muito importante conhecer os variados tipos de corte. Também é fundamental que a carne seja de excelente qualidade, isto é, proveniente de um fornecedor de absoluta confiança.

Cupim
Parte localizada logo atrás do pescoço, com fibras musculares entremeadas de gordura. É utilizado em churrasco, cozido ou assado no forno. Requer cozimento bem lento.

Pescoço
Um dos cortes mais econômicos. Geralmente utilizado no preparo de sopas ou cozidos.

Peito
Está situado entre o pescoço e as duas pernas dianteiras do animal. Por ser constituído de músculos e fibras, requer um cozimento demorado. É usado em cozidos e caldos.

Acém
É a continuação do pescoço. Normalmente é cozido, refogado ou ensopado e pode ser usado em bifes de panela.

Paleta
Perna anterior do animal, composta por vários músculos. Muito saborosa, serve para moer, ensopar ou para fazer molhos.

Músculo
Ideal para sopas, caldos e cozidos, deve ficar um bom tempo no fogo até adquirir maciez. Depois, desfiado, pode ser usado também em saladas frias. Quando cortado com o osso, dá origem ao ossobuco.

Capa de filé
Localizada sobre o contrafilé, é ideal para fazer assados e refogados.

Entrecôte
Chamada de "chuleta" pelos gaúchos, ou bisteca, o entrecôte é uma peça arredondada, entremeada de gordura amarelo-clara. Com ou sem osso, é um dos cortes bovinos considerados mais saborosos. Prepare-o assado, frito ou grelhado.

Contrafilé
Corte nobre do lombo do boi, fica ao lado do filé-mignon. Revestido com uma camada de gordura que lhe assegura maciez, o contrafilé fica ótimo tanto assado como frito. Com ele é preparado o clássico bife a cavalo (com ovo frito).

Filé-mignon

Localizado ao longo do dorso do boi, é uma carne extremamente tenra e suculenta, pois fica numa parte do animal que quase não se movimenta. Ideal para bifes altos, servidos ao ponto ou malpassados. Da França vêm dois cortes feitos com filé-mignon: turnedôs (pedaços mais grossos) e medalhões (pedaços mais finos).

Alcatra

Um dos cortes mais procurados pelas donas de casa, esta carne é, também, uma das mais nobres. Da peça inteira da alcatra, localizada no traseiro do boi, saem outros cortes igualmente apreciados, como a picanha e a maminha. Usada principalmente para fazer bifes, faz igual sucesso em assados e cozidos de panela.

Fraldinha

Essa peça pequena, macia e suculenta, localizada na lateral do boi, é largamente consumida em churrasco (corte fatias finas para irem à grelha), espetinhos, assados de panela, ensopados e receitas como estrogonofe.

Lagarto

Com formato arredondado, o lagarto é parte da coxa do animal. Em assados, deve ser sempre bem passado, e pode ganhar recheios de farofa ou linguiça. É muito utilizado para rosbifes e ensopados. Cru, cortado em fatias finíssimas, transforma-se no apreciado *carpaccio.*

Costela

A carne fibrosa requer um preparo lento, que pode chegar a doze horas no "bafo" da churrasqueira, ou seja, longe da brasa. Cercada de osso e gordura, a costela é apropriada tanto para cozidos como para assados.

Ponta de agulha

É constituída pelas últimas costelas, com músculos de fibras grossas e compridas. É indicada para refogados, cozidos ou ensopados. Usada também para moer.

Coxão mole

Músculo do interior da perna do animal, localizado junto ao lagarto e ao coxão duro. Apesar de ser macio, esse corte não é muito suculento. Durante muito tempo, o coxão mole foi sinônimo de carne para bife. Experimente fazê-lo à milanesa, enrolado, assado ou na forma de escalopes.

Patinho

Macio e suculento, vai bem em picadinhos e cozidos, como o *goulash*, um prato húngaro. Moído, é usado para fazer quibes, e cortado em bifes superfinos costuma ser servido como acompanhamento de massas.

Coxão duro

Vem do músculo traseiro do boi e tem carne fibrosa. Indicado principalmente para sopas, ensopados e outros tipos de receita com cozimento lento, capaz de lhe conferir maciez.

Rabo

Bastante apreciado, é uma carne com osso que já vem limpa, pronta para preparar a rabada.

Picanha

É a continuação do coxão duro, em direção ao lombo. Muito saborosa, é uma das carnes mais utilizadas para churrasco. É própria também para cozidos, assados e refogados.

Maminha

Corte localizado perto do fim da ponta de agulha. É recomendada para assar, grelhar ou fazer bifes.

Peixinho

É a continuação do pescoço. Normalmente é cozido, refogado ou ensopado, e pode ser usado em bifes de panela.

Carne suína

Saborosa e nutritiva, a carne suína é uma opção mais econômica e também permite várias formas de preparo.

Na hora da compra, preste atenção ao aspecto da carne:

- a consistência deve ser firme;
- dependendo do corte, a cor da carne varia entre o branco e o rosa, com estrias de gordura brancas e finas;
- a gordura deve ser branca e firme;
- a aparência deve ser seca, que não esteja transpirando ou, pior ainda, melando;
- o cheiro deve ser agradável.

Paleta

Corte econômico, dianteiro, pode ser preparado assado ou cozido.

Carré

Retirado do dorso, é comumente encontrado no comércio como bisteca. Ótimo para fritar, assar ou grelhar.

Lombo

Carne protegida pelas costelas, é ideal para assar, fritar ou ser moída para molhos e recheios.

Costela

Comumente utilizada no churrasco, pode também ser utilizada para assar, fritar ou cozinhar.

Pernil

É constituído por todo o membro traseiro do porco. Pode ser assado, frito ou grelhado. Atualmente, pode-se encontrá-lo à venda no comércio em cortes menores, como a picanha suína.

Joelho

Utilizado em alguns pratos típicos, como o *eisbein*, da Alemanha.

Pé e orelha

Utilizados para dar sabor à feijoada.

Barriga

Parte da qual se extrai a banha e o bacon, entre outros.

Aves

Na culinária brasileira, o frango é a ave mais utilizada. Encontramos os diversos cortes congelados ou resfriados nos supermercados. Peito, coxa, sobrecoxa e asa são ótimos fritos, cozidos, assados ou grelhados.

Na hora de comprar, preste atenção ao aspecto da carne:

- o cheiro deve ser suave;
- a pele deve ser macia e seca. A cor deve ser clara, entre o amarelo e o branco, sem manchas escuras.

Como desossar o frango

- Depois que já estiver limpo, faça um corte do pescoço ao curanchim.
- Com a ponta da faca, separe a carne do osso da coxa.
- Faça o mesmo com o osso da sobrecoxa.
- Corte o osso na articulação e retire-o com cuidado.
- Corte a ponta das asas e, com a ponta da faca, separe a carne do osso de cada asa.

- Retire o osso com cuidado.
- Separe a carne das costelas, empurrando com a lâmina da faca.
- Retire a carcaça junto com a cartilagem do peito.
- Coloque-o sobre a tábua de carne com a parte interna virada para cima. Enfie a ponta da faca entre a carne e a cartilagem central e vá separando a carne com cuidado.
- Quando tiver soltado toda a carne, retire a cartilagem.

Como cortar para frango a passarinho

Você encontra frango já cortado a passarinho em avícolas ou supermercados. Mas, se quiser prepará-lo em casa, use uma faca afiada ou tesoura de trinchar.

- Corte a ave pelas juntas, primeiro em pedaços grandes.
- Corte cada parte obtida em dois ou três pedaços paralelos, de acordo com o tamanho de cada um. A asa pode ser cortada em duas ou três partes e o peito em seis e até oito.

Peixes

Do rio ou do mar, encontramos uma enorme variedade de tipos de peixes que permitem os mais variados preparos.

Na hora de comprar, preste atenção ao aspecto do peixe, que se deteriora com facilidade:

- os peixes têm um odor característico, que não deve ser desagradável e nem enjoativo;
- os olhos devem ser brilhantes e não devem estar afundados;
- as guelras devem estar vermelhas e úmidas;
- as escamas devem ser brilhantes e presas à pele;
- a carne deve ser firme e elástica ao toque.

Como escamar e limpar

- Antes de limpar peixe de escama, deixe-o de molho em água fria durante uns 15 minutos, para que as escamas se soltem mais fácil.
- Coloque o peixe sobre uma superfície e, com uma tesoura, corte as nadadeiras laterais. Vire o peixe e corte as nadadeiras dorsais.
- Segure o peixe pela cauda com firmeza e, com uma faca, raspe as escamas, da cauda para a cabeça.
- Faça um corte na barriga, da cauda até a cabeça, e retire todas as vísceras, raspando o interior do ventre com a faca. Por esse corte, retire também as guelras, junto à cabeça. Lave bem o peixe.

Como retirar o couro

Os peixes sem escamas podem ser preparados com ou sem couro.

Para retirar o couro, proceda da seguinte maneira:

- Peixes redondos: corte o couro junto à cabeça e puxe-o de uma só vez.
- Peixes chatos: faça um corte perto do rabo e puxe-o de uma só vez.

Como cortar em filés

- Limpe o peixe só por fora, sem tirar as vísceras.
- Corte a cabeça.
- Faça um corte nas costas, seguindo a linha da coluna.
- Com a ajuda de uma faca, vá separando a carne da espinha.
- Retire todas as vísceras e a espinha.

- Com a faca, retire a pele, segurando firmemente o rabo.
- Corte o peixe em filés, na espessura desejada.

Como cortar em postas
- Limpe o peixe por fora, sem tirar as vísceras.
- Corte o rabo e a cabeça, logo atrás das guelras.
- Corte o peixe em rodelas, na espessura desejada.
- Retire as vísceras, deixando a pele, se quiser.

Dicas para pães, tortas e bolos

Tortas

As tortas são uma excelente opção para o lanche ou acompanhamento de uma refeição.

Doces ou salgadas, as opções de preparo são infinitas. Há vários tipos de massa, como a folhada, a podre, a quebradiça e a preparada no liquidificador.

- Coloque um plástico sob a massa podre para abri-la com o rolo. Em seguida, vire a massa sobre a fôrma e retire o plástico. A massa ficará lisa e uniforme.
- Para preparar a massa de empadão, use gordura ou manteiga gelada. Desta maneira a massa ficará mais crocante.
- Nunca acrescente o recheio quente, pois isso pode encruar a massa.
- O recheio das tortas não deve ser úmido demais para não prejudicar a consistência da massa.
- Para ter uma base de torta perfeita, fure-a com um garfo para evitar bolhas de ar. Coloque sobre a massa papel manteiga ou papel-alumínio coberto com feijões. Leve para assar por 10 a 15 minutos ou até que a massa fique firme. Retire o papel com os feijões e volte a assar por mais 5 minutos.
- Congele a massa das tortas. Para isso, asse-a até começar a dourar, deixe esfriar totalmente e embrulhe em filme plástico. Na hora de usar, tire do freezer, desembrulhe e leve ao forno médio (180 °C), preaquecido, até dourar um pouco mais. Recheie e finalize o preparo da torta.

Pães

- Ao preparar a massa de pães, pizzas ou tortas, utilize os ingredientes em temperatura ambiente, a menos que a receita diga o contrário.
- Não acrescente a farinha de trigo pedida na receita de uma só vez. Reserve sempre 1 xícara (chá), pois dessa maneira ficará mais fácil corrigir possíveis variações no ponto da massa.
- Cubra a massa com um pano de prato e deixe-a crescer em local protegido de corrente de ar.
- Quando fizer massa fermentada, tire uma pequena porção da massa, faça uma bolinha e coloque-a em um copo com água. Assim que ela subir, a massa estará pronta para ser modelada.
- Na hora de assar a massa de pães, tortas e pizzas, coloque sempre a assadeira bem no centro do forno. Assim, o ar quente circulará livremente por todos os lados e a massa assará por igual.
- Para obter uma pizza mais crocante, coloque a massa para pré-assar antes de montá-la.

- Nos dias frios, é preciso cobrir a massa com um cobertor grosso de lã, para que ela possa ter a temperatura certa para crescer.
- Para saber se a massa já cresceu o suficiente, faça o seguinte teste: pressione-a com os dedos e, se a depressão desaparecer em seguida, é sinal de que a massa já está crescida.
- Asse os pães em forno preaquecido.

Como sovar a massa

Forme uma bola com a massa e depois dobre-a em sua direção.

Com a palma da mão, empurre para baixo e na direção contrária a você.

Continue fazendo esses movimentos, alternando-os até que a massa esteja lisa e elástica.

Bolos

- Antes de começar a preparar sua receita, separe todos os ingredientes.
- Utilize sempre os ingredientes em temperatura ambiente.
- Preaqueça o forno com cerca de 10 minutos de antecedência.
- Unte a fôrma: espalhe óleo ou manteiga por todo o fundo e as laterais da fôrma. Polvilhe com farinha de trigo.
- Peneire os ingredientes secos, como a farinha, o açúcar, o chocolate e o fermento em pó, preferencialmente antes de medir a quantidade solicitada.
- Se a receita pedir para acrescentar os ingredientes líquidos alternando-os com os secos, comece e termine com a farinha, para que o bolo fique mais leve.

- Para obter um bolo fofo, procure sempre bater as claras em neve, mesmo que a receita não o solicite.
- As claras em neve devem ser incorporadas à massa aos poucos, com movimentos delicados.
- Para saber se o bolo está pronto, insira um palito no centro do bolo. Se a massa grudar no palito é porque ainda não está assada.
- Não desenforme o bolo ainda quente, pois ele pode murchar. Deixe esfriar e, depois, passe uma faca na lateral interna da fôrma, chegando até o fundo, para soltar o bolo.
- Cheque a validade do fermento antes de utilizá-lo.
- Nunca abra o forno durante os primeiros 20 minutos de tempo de preparo.

Dicas para massas e molhos

- Coloque água numa panela, calculando 10 partes de água para cada parte de macarrão. Para saber a quantidade de macarrão a ser usada, calcule 100 g de massa crua por pessoa.
- Espere a água atingir o ponto máximo de fervura para colocar o macarrão. Mergulhe-o lentamente, mexendo com um garfo ou colher de pau.
- O ponto ideal de cozimento do macarrão é aquele que os italianos chamam al dente, ou seja, quando a massa não fica nem muito dura nem muito mole, oferecendo certa resistência ao ser mordida.
- A massa de macarrão não deve ser "lavada" em água fria depois de cozida. Se ela estiver

com muita goma, regue-a rapidamente com água quente.

- A massa deve ser servida bem quente. Para evitar que esfrie rápido, escalde a travessa em que vai ser servida e esquente bem o molho antes de juntá-lo ao macarrão.
- Quando escorrer o macarrão, coloque um pedaço de margarina ou regue com um fio de azeite para não grudar.
- As massas gratinadas devem ser levadas ao forno somente momentos antes de serem servidas.
- Arrume a lasanha na véspera, numa fôrma refratária. Cubra com leite e leve à geladeira. Coloque a lasanha no forno 40 minutos antes de servir.
- A massa ficará mais saborosa se você misturar um pouco de pimenta-do-reino ao queijo ralado.
- O tempo de cozimento varia de acordo com o tipo de macarrão: entre 8 e 10 minutos para as massas secas e de 3 a 8 minutos para as massas frescas.

Dicas para sobremesas

- Ao preparar cremes, dissolva o amido de milho em um pouco de água ou leite antes de adicioná-lo. Ele não empelotará.
- Se o creme talhar, esfrie e bata no liquidificador para voltar a ligar.
- Ao desenformar pudim com calda, coloque a fôrma sobre a chama do fogão para derreter um pouco a calda e facilitar o trabalho.
- Para saber se um pudim já está assado, espete-o com uma faca. Esta deverá sair limpa.

- Para testar o ponto da calda em fio, retire com uma colher uma pequena quantidade e deixe esfriar um pouco. Molhe o dedo indicador nela e junte com o polegar, afastando-o em seguida. Estará no ponto ao se formar um fio fino e firme. O ponto é atingido com cerca de 15 minutos de fogo.
- Derreta a gelatina com o auxílio do micro--ondas. Hidrate um pacotinho de 12 g com 5 colheres (sopa) de água fria e leve ao micro--ondas por 15 segundos. Esta quantidade é suficiente para 500 ml de líquido.

Tabela de medidas caseiras

	1 xícara (chá)	1 colher (sopa)	1 colher (sobremesa)	1 colher (chá)
Açúcar	180 g	12 g	–	–
Arroz	160 g	10 g	–	–
Amido de milho	120 g	8 g	–	–
Farinha de trigo	120 g	10 g	–	–
Farinha de mandioca	180 g	20 g	–	–
Farinha de rosca	150 g	11 g	–	–
Feijão	160 g	–	–	–
Leite e água	240 ml	15 ml	10 ml	5 ml
Manteiga e margarina	200 g	20 g	10 g	–
Óleo	200 g	8 ml	–	–

Receitas básicas

Massa para salgadinhos fritos

Ingredientes
1 litro de leite
100 g de margarina
1 tablete de caldo de galinha
1 cebola ralada
sal a gosto
3 gemas
50 g de queijo ralado
1 lata de creme de leite
½ kg de farinha de trigo
ovo e farinha de rosca para empanar
óleo para fritar

Modo de preparo
Em uma panela grande, coloque o leite, a margarina e o caldo de galinha. Leve ao fogo e cozinhe até dissolver o caldo e derreter a margarina.

Junte a cebola ralada, o sal e as gemas, mexa e cozinhe por mais alguns minutos. Adicione o queijo ralado, o creme de leite, a farinha aos poucos e mexa até a massa desgrudar do fundo da panela.

Coloque a massa em superfície untada com um pouco de óleo e amasse até que fique homogênea.

Molho de tomate

Prepare a receita de molho de tomate, divida em porções e congele. Você terá sempre um molho delicioso pronto para suas receitas.

Ingredientes
2 colheres (sopa) de azeite de oliva
1 cebola grande picada
2 dentes de alho amassados
1 kg de tomates, sem pele e sem sementes, em pedaços
uma pitada de açúcar
½ xícara (chá) de salsinha picada
¼ de xícara de folhinhas de manjericão fresco
uma pitada de orégano
sal e pimenta-do-reino a gosto

Modo de preparo
Em uma panela, aqueça o azeite e doure a cebola e o alho.

Adicione os tomates, tampe a panela e deixe cozinhar, em fogo baixo, por cerca de 30 minutos ou até que ele apure e comece a espirrar na tampa da panela. Junte o açúcar e mexa de vez em quando. Bata no liquidificador, volte à panela e acrescente a salsinha, o manjericão, o orégano, e tempere com sal e pimenta-do-reino.

Molho branco

Ingredientes
2 colheres (sopa) de manteiga
2 colheres (sopa) de farinha de trigo
½ litro de leite fervente
1 colher (café) de sal
noz-moscada a gosto

Modo de preparo
Em uma panela, coloque a manteiga e deixe derreter. Adicione a farinha e deixe dourar, mexendo sempre. Acrescente o leite aos poucos, sem parar de mexer. Tempere com sal e noz-moscada.
O molho branco é base para você variar suas receitas de macarrão. Junte a ele presunto, frango ou queijos.

Pão de ló

Use a massa do pão de ló e varie o recheio, que pode ser de frutas, de brigadeiro, ou outro recheio de sua preferência. Para cobrir, escolha o chantili ou o marshmallow.

Ingredientes
10 ovos (gemas e claras separadas)
3 xícaras (chá) de farinha de trigo
1 colher (chá) de fermento
3 xícaras (chá) de açúcar
manteiga para untar e farinha de trigo para polvilhar

Preparo
Unte duas assadeiras médias, forre o fundo com papel manteiga também untado e polvilhe com farinha. Leve as claras à batedeira e bata-as até o ponto de neve. Depois, com uma espátula, incorpore delicadamente a farinha e o fermento.
Leve outra vasilha à batedeira e bata as gemas até começar a espumar.

Adicione o açúcar e bata por mais 5 minutos, até obter um creme fofo e encorpado. Acrescente as gemas à mistura de claras e incorpore-as delicadamente. Coloque metade da massa em cada assadeira e asse por cerca de 30 minutos, até que, ao enfiar um palito no centro, ele saia limpo. Para o **Pão de ló de chocolate**, junto com a farinha, acrescente ½ xícara (chá) de chocolate em pó.

Chantili

Ingredientes
1 litro de creme de leite fresco bem gelado
1 xícara (chá) de açúcar
1 colher (café) de essência de baunilha

Preparo
Leve à batedeira o creme de leite fresco, o açúcar e a essência de baunilha. Bata até obter um creme bem leve, fofo e que não caia das pás. Pare de bater quando isso acontecer, para não virar manteiga.
Dica: deixe no congelador o creme de leite fresco, a tigela e os batedores da batedeira por 20 minutos antes de começar o preparo.

Marshmallow

Ingredientes
⅓ de xícara (chá) de água
3 xícaras (chá) de açúcar
12 claras

Preparo
Misture a água e o açúcar em uma panela. Leve ao fogo e deixe ferver por 5 minutos. Enquanto isso, leve as claras à batedeira e bata-as em neve até formarem picos bem firmes. Retire a calda do fogo e despeje-a aos poucos sobre as claras, continuando a bater até que esfrie e se transforme num merengue firme.

Petiscos e salgadinhos

Berinjela picante

 45 minutos 10 porções

INGREDIENTES

3 colheres (sopa) de azeite de oliva
1 cebola picada
3 dentes de alho picados
3 tomates sem sementes cortados em cubinhos
2 berinjelas cortadas em cubinhos
2 folhas de louro
½ xícara (chá) de cheiro-verde picado
½ xícara (chá) de azeitonas verdes picadas
1 pimenta-dedo-de-moça sem sementes picada
sal a gosto
torradinhas a gosto

PREPARO

Aqueça o azeite em uma panela e doure a cebola e o alho. Acrescente os tomates, as berinjelas, o louro e deixe cozinhar até que estejam macios. Junte o cheiro-verde, as azeitonas, a pimenta, o sal e misture bem. Sirva com as torradinhas.

Sardela

1 hora — 10 porções

INGREDIENTES

- 2 tomates maduros
- 4 pimentões vermelhos
- 4 dentes de alho picados
- 2 colheres (sopa) de orégano
- 1 colher (chá) de pimenta-calabresa
- 1 colher (café) de sementes de erva-doce
- 5 filés de anchova em conserva
- 1 xícara (chá) de azeite de oliva

PREPARO

Corte os tomates ao meio e retire as sementes. Faça o mesmo com os pimentões. Coloque-os em um liquidificador e bata por 2 minutos ou até obter um creme. Reserve.

Coloque metade do azeite em uma panela e doure o alho. Acrescente o orégano, a pimenta, a erva-doce e misture. Em seguida, junte o creme reservado e mexa. Abaixe o fogo e deixe apurar com a panela semiaberta por 50 minutos. Mexa algumas vezes e, caso seja necessário, acrescente um pouco de água.

Enquanto isso, em um recipiente, amasse as anchovas com o auxílio de um garfo. Acrescente o restante do azeite e misture bem até obter uma pasta. Reserve.

Após os 50 minutos, junte a pasta de anchova à sardela e, mexendo sempre, deixe apurar por mais 5 minutos. Espere esfriar e guarde na geladeira.

Croquetinhos de mandioca

 3 horas   50 unidades

INGREDIENTES
Recheio
2 colheres (sopa) de azeite de oliva
½ xícara (chá) de cebola picada
2 tomates picados
sal e pimenta-do-reino a gosto
½ kg de bacalhau dessalgado, cozido e desfiado
½ xícara (chá) de azeitonas picadas
cheiro-verde a gosto

Massa
1 kg de mandioca cozida e espremida
½ xícara (chá) de creme de leite
1 ovo
2 colheres (sopa) de salsinha picada
½ xícara (chá) de queijo parmesão ralado
sal a gosto
2 xícaras (chá) de farinha de trigo
ovos e farinha de rosca para empanar
óleo para fritar

PREPARO
Recheio
Coloque numa panela o azeite e refogue a cebola. Junte os tomates e tempere com o sal, a pimenta-do-reino e refogue por alguns minutos. Acrescente o bacalhau, as azeitonas e o cheiro-verde e misture bem. Deixe esfriar.

Massa
Num refratário, coloque a mandioca, o creme de leite, o ovo, a salsinha, o queijo ralado, o sal e a farinha de trigo. Mexa com uma colher de pau, até misturar todos os ingredientes.
Abra pequenas porções da massa na palma da mão, enfarinhando sempre. Coloque o recheio e feche o croquete.
Passe pelo ovo e pela farinha de rosca. Frite em óleo bem quente e escorra sobre papel absorvente. Sirva a seguir.

Dica: a receita pode ser congelada. Você pode cozinhar a mandioca com um tablete de caldo de galinha ou de carne e substituir o bacalhau por ½ kg de carne moída ou frango.

Esfirra de escarola

 1 hora e meia   36 unidades

INGREDIENTES

Recheio
2 maços de escarola
3 colheres (sopa) de óleo
1 cebola cortada em fatias finas
2 dentes de alho picados
sal a gosto
3 xícaras (chá) de bacon picado

Massa
1 tablete de fermento para pão (15 g)
1 xícara (chá) de leite morno
¼ de xícara (chá) de óleo
1 colher (sopa) de manteiga
sal a gosto
3 xícaras (chá) de farinha de trigo
   (aproximadamente)
2 gemas batidas para pincelar

PREPARO

Recheio
Escalde a escarola em água fervente por 5 minutos. Escorra bem a água e pique a escarola.
Em uma panela, aqueça o óleo e doure a cebola e o alho. Acrescente a escarola, o sal e deixe cozinhar por 5 minutos. Em outra panela, frite o bacon na própria gordura até ficar crocante. Misture com a escarola e deixe esfriar. Reserve.

Massa
Dissolva o fermento no leite morno. Acrescente o óleo, a manteiga, o sal, a farinha de trigo aos poucos e misture bem até obter uma massa homogênea e que não grude nas mãos.
Faça bolinhas com a massa e abra-as na palma da mão. Coloque porções do recheio, feche as esfirras e, sobre uma superfície enfarinhada, deixe-as crescer por 30 minutos. Coloque em uma fôrma antiaderente, pincele as esfirras com a gema batida e leve ao forno médio (180 °C), preaquecido, e asse por cerca de 30 minutos ou até dourar. Sirva a seguir.

Sopas e saladas

Creme de palmito

⏱ 45 minutos   ◎ 8 porções

INGREDIENTES
1 vidro de palmito
2 colheres (sopa) de manteiga
1 tablete de caldo de legumes
3 xícaras (chá) de água
3 colheres (sopa) de farinha de trigo
½ xícara (chá) de requeijão
cebolinha picada a gosto

PREPARO
Pique o palmito e reserve.
Em uma panela, coloque o palmito, a água do palmito, a manteiga, o caldo de legumes, metade da água e deixe ferver por 2 minutos.
Dissolva a farinha de trigo no restante da água e despeje na panela. Cozinhe até começar a engrossar, mexendo sempre.
Transfira tudo para o liquidificador e bata até obter um creme homogêneo. Volte para a panela, acrescente o requeijão e a cebolinha e misture bem. Sirva a seguir.

Sopa creme de mandioquinha

🕐 1 hora ◎ 8 porções

INGREDIENTES
1 kg de mandioquinha
4 xícaras (chá) de água
1 colher (sopa) de manteiga
1 colher (sopa) de cebola picada
2 tabletes de caldo de galinha
sal a gosto
queijo parmesão ralado a gosto

PREPARO
Cozinhe a mandioquinha na água. Deixe esfriar um pouco e bata tudo no liquidificador. Em uma panela, aqueça a manteiga e refogue a cebola. Adicione os tabletes de caldo de galinha e o creme de mandioquinha. Tempere com o sal e deixe cozinhar até engrossar levemente. Sirva com queijo parmesão ralado.

Dica: para um toque especial, acrescente uma fatia fina de gengibre no cozimento da mandioquinha.

Salada de verão

 50 minutos   10 porções

INGREDIENTES
1 pé de alface americana
1 abacaxi picado
1 vidro grande de palmito
100 g de azeitonas pretas sem caroço
1 manga picada
200 g de presunto picado
300 g de peito de frango defumado picado
½ kg de tomates-cereja
1 cebola picada (opcional)

Molho
2 potes de iogurte natural
1 colher (sopa) de mostarda
orégano a gosto
suco de 1 limão
sal e pimenta-do-reino branca a gosto

PREPARO
Numa saladeira grande, distribua as folhas de alface, o abacaxi, o palmito cortado em rodelas, a azeitona, a manga, o presunto, o peito de frango defumado, o tomate e a cebola (opcional).

Molho
Coloque em um refratário o iogurte natural, a mostarda, o orégano, a pimenta-do-reino branca, o suco de limão e o sal. Misture a cada ingrediente adicionado. Sirva com a salada.

Creme de beterraba

🕐 45 minutos   ⊚ 8 porções

INGREDIENTES
1 kg de beterraba descascada e cortada em quatro partes
3 batatas descascadas e cortadas em quatro partes
2 colheres (sopa) de óleo
½ cebola picada
2 dentes de alho amassados
1 lata de creme de leite
salsinha picada a gosto

PREPARO
Em uma panela, aqueça a água e cozinhe as beterrabas e as batatas até que fiquem macias. Coloque-as no liquidificador com a água do cozimento e bata até que fique homogêneo. Reserve. Em uma panela, aqueça o óleo e doure a cebola e o alho. Junte o creme, misture e deixe apurar por 5 minutos. Por fim, acrescente o creme de leite e o sal e misture bem. Decore com a salsinha picada.

Dica: acrescente algumas folhas de espinafre picado nos 5 minutos finais de preparo.

Salada ao molho de guacamole

 45 minutos   8 porções

INGREDIENTES

Salada
1 maço de alface americana
½ maço de rúcula
10 tomates-cereja cortados ao meio

Molho
1 abacate médio maduro
4 colheres (sopa) de azeite de oliva
suco coado de 2 limões
1 colher (sopa) de mostarda
sal a gosto
pimenta-calabresa a gosto

PREPARO

Em uma travessa, coloque as folhas de alface, a rúcula e os tomates-cereja. Reserve. No liquidificador, bata bem o abacate, o azeite, o suco de limão, a mostarda, o sal e a pimenta. Sirva com a salada reservada.

Dica: se você não quiser bater o abacate, corte-o em pedaços para colocar na salada, misture os ingredientes do molho e sirva.

Salada Caesar de agrião

 55 minutos   10 porções

INGREDIENTES

1 lata de atum
1 maço de agrião
1 pimentão amarelo, sem sementes
    cortado em tiras
100 g de tomate seco
1 xícara (chá) de croûtons
2 colheres (sopa) de parmesão ralado
2 gemas cozidas
1 dente de alho picado finamente
sal a gosto
½ xícara (chá) de azeite de oliva

PREPARO

Reserve 1 colher (sopa) de atum.
Em uma saladeira, coloque o agrião, o restante do atum, o pimentão, o tomate seco e os croûtons. Polvilhe com o queijo parmesão e reserve.
Misture bem o atum reservado com as gemas cozidas e o alho até obter uma pasta. Acrescente o sal e misture novamente. Junte o azeite, aos poucos, misturando bem. Sirva com a salada.

Carnes

Filé-mignon com mostarda

 30 minutos 6 porções

INGREDIENTES

6 bifes de filé-mignon
sal a gosto
pimenta-do-reino a gosto
2 colheres (sopa) de manteiga
1 colher (sopa) de azeite de oliva
1 ½ xícara (chá) de creme de leite fresco
1 colher (sopa) de mostarda amarela
1 colher (sopa) de mostarda escura
1 colher (chá) de açúcar
cebolinha picada a gosto

PREPARO

Tempere os filés com o sal e a pimenta-do-reino.
Em uma panela aqueça bem o azeite com a manteiga e frite os bifes, virando-os de vez em quando. Retire da panela e reserve.
Na mesma panela, junte o creme de leite, a mostarda amarela, a mostarda escura e o açúcar, mexa bem raspando o fundo da panela e deixe cozinhar por 5 minutos. Acerte o sal e sirva os bifes com o molho de mostarda. Decore com a cebolinha.

Medalhões com molho de mostarda

 35 minutos 4 porções

INGREDIENTES

4 medalhões de filé-mignon
1 dente de alho picado
sal a gosto
pimenta-do-reino a gosto
4 fatias de bacon
2 colheres (sopa) de óleo
1 xícara (chá) de maionese
1 xícara (chá) de creme de leite (sem soro)
4 colheres (sopa) de mostarda
cebolinha picada a gosto

PREPARO

Tempere os medalhões com o alho, o sal e a pimenta-do-reino. Enrole cada medalhão em uma fatia de bacon. Aqueça o óleo e frite os medalhões dos dois lados. Coloque em uma travessa e reserve. Em uma tigela, misture bem a maionese, o creme de leite e a mostarda. Sirva com os medalhões e decore com a cebolinha.

Dica: em vez de usar o bacon para envolver os medalhões, você pode picá-lo bem e fritá-lo na própria gordura até que fique crocante. Sirva o medalhão com o molho e salpique os crocantes de bacon.

Carne com brócolis e gergelim

 45 minutos 5 porções

INGREDIENTES

3 colheres (sopa) de óleo
4 dentes de alho cortados em fatias finas
250 g de contrafilé cortado em tiras
½ maço de brócolis (flores)
½ xícara (chá) de água
3 colheres (sopa) de molho de soja
glutamato monossódico a gosto
sal a gosto
gergelim a gosto

PREPARO

Aqueça o óleo e doure o alho. Junte as tiras de carne e frite-as. Acrescente o brócolis, a água e o molho de soja, deixe a panela semitampada e cozinhe por 15 minutos ou até que o brócolis fique macio. Por fim, acrescente e misture o glutamato e o sal. Coloque em uma travessa, salpique o gergelim e sirva.

Dica: para deixar o sabor do gergelim mais acentuado, substitua a quantidade de óleo indicada na receita por 2 colheres (sopa) de óleo de gergelim para fritar a carne.

Picadinho especial

50 minutos 8 porções

INGREDIENTES

1 kg de patinho cortado em cubos
700 ml de vinho tinto
2 colheres (sopa) de óleo
3 dentes de alho
2 cebolas picadas
1 folha de louro
2 tabletes de caldo de carne
4 xícaras (chá) de água
1 pimentão amarelo sem sementes cortado em tiras
1 pimentão verde sem sementes cortado em tiras
1 pimentão vermelho sem sementes cortado em tiras

PREPARO

Em um recipiente, coloque a carne, regue com o vinho tinto e deixe marinar na geladeira por 2 horas.
Em uma panela, aqueça o óleo e doure o alho e a cebola. Acrescente a carne com o vinho, o louro, o caldo de carne dissolvido na água e os pimentões. Misture bem e deixe cozinhar por cerca de 30 minutos ou até que a carne esteja cozida e macia.

Dica: para variar o sabor, adicione no cozimento ½ kg de minicebolas.

Alcatra ao molho de champignon

 35 minutos   5 porções

INGREDIENTES

5 bifes de alcatra
sal a gosto
pimenta-do-reino a gosto
3 colheres (sopa) de óleo
4 dentes de alho picados
1 lata de tomate pelado picado (com o molho)
1 xícara (chá) de champignon cortado em fatias
salsinha picada a gosto
uma pitada de açúcar
1 xícara (chá) de batata palha

PREPARO

Tempere os bifes com o sal e a pimenta-do-reino. Em uma panela, aqueça o óleo e frite os bifes, virando-os quando já estiverem com o primeiro lado dourado. Retire-os e, na mesma panela, coloque o alho e doure-o. Junte o tomate pelado picado com o molho, o champignon, a salsinha e o açúcar e deixe apurar por aproximadamente 10 minutos. Acerte o sal e despeje sobre os bifes. Salpique a batata palha e sirva.

Dica: acrescente azeitona preta picada ao molho para dar um toque especial à sua receita.

Frigideira de calabresa com banana verde

⏲ 45 minutos   ◎ 10 porções

INGREDIENTES

6 bananas verdes
2 linguiças calabresas
1½ xícara (chá) de bacon picado
2 cebolas cortadas em fatias finas
1½ xícara (chá) de água
½ xícara (chá) de cheiro-verde picado
sal a gosto
pimenta-calabresa a gosto

PREPARO

Descasque as bananas e corte-as em rodelas. Reserve. Com o auxílio de uma faca, retire a pele das linguiças e corte-as em fatias finas. Aqueça uma frigideira e frite o bacon e a linguiça na própria gordura. Junte as fatias finas de cebola e refogue. Em seguida, acrescente a banana e misture. Acrescente a água e deixe apurar em fogo baixo, mexendo de vez em quando, até que a banana fique macia. Se for necessário, acrescente um pouco mais de água para finalizar o cozimento da banana. Junte o cheiro-verde, o sal e a pimenta-calabresa, misture e sirva.

Dica: sirva com um mix de pimentas em conserva.

Tortilha de carne moída

 40 minutos 6 porções

INGREDIENTES

Carne
3 colheres (sopa) de azeite de oliva
½ kg de carne moída (patinho)
3 dentes de alho picados
1 cebola picada
2 ovos
½ xícara (chá) de salsinha picada
sal a gosto

Molho branco
2 colheres (sopa) de manteiga
1 cebola pequena ralada
2 colheres (sopa) de farinha de trigo
2 xícaras (chá) de leite morno
noz-moscada a gosto

Montagem
2 tabletes de caldo de carne
1 xícara de leite morno
8 fatias de pão de fôrma
manteiga e queijo parmesão ralado
    para untar e polvilhar

PREPARO

Carne
Aqueça o azeite numa panela e frite a carne moída. Acrescente o alho, a cebola e refogue. Junte os ovos ligeiramente batidos e misture por alguns minutos. Por fim, coloque a salsinha, acerte o sal, misture e reserve.

Molho branco
Em uma panela, aqueça a manteiga e murche a cebola. Acrescente a farinha de trigo e doure-a. Coloque o leite morno aos poucos, mexendo sempre, até que engrosse. Tempere com a noz-moscada e o sal.

Montagem
Dissolva os tabletes de caldo de carne no leite morno. Em uma fôrma untada e polvilhada, distribua as fatias de pão de fôrma e regue com metade da mistura de leite. Coloque a carne moída sobre os pães, apertando bem com o auxílio de uma colher. Faça outra camada com fatias de pão por cima e regue com o restante da mistura de leite. Cubra com o molho branco, salpique o queijo parmesão ralado e leve ao forno médio (180 °C) preaquecido para gratinar.

Dica: frite bem a carne moída antes de adicionar os temperos.

Costelinha de porco com mel

 1 hora 6 porções

INGREDIENTES
½ xícara (chá) de mel
½ xícara (chá) de molho de soja
2 colheres (sopa) de açúcar mascavo
½ xícara (chá) de vinagre de vinho
sal e pimenta-do-reino a gosto
1 kg de costelinha de porco
3 dentes de alho picados
1 colher (sopa) de alecrim

Creme de milho
3 xícaras (chá) de leite
1 lata de milho verde
1 colher (sopa) de manteiga
1 colher (sopa) de mel
sal a gosto

PREPARO

Em um recipiente, coloque o mel, o molho de soja, o açúcar, o vinagre, o sal e a pimenta-do-reino. Misture a cada ingrediente adicionado. Reserve.

Acomode as costelinhas em uma assadeira retangular. Distribua o alho picado, o molho reservado e o alecrim. Deixe marinar no tempero por 1 hora.

Leve ao forno baixo (150 °C), preaquecido, e deixe assar por cerca de 15 minutos. Vire as costelinhas, aumente a temperatura do forno para médio (180 °C) e asse até dourarem. Sirva acompanhadas de creme de milho.

Creme de milho
No liquidificador, bata o leite e o milho. Transfira para uma panela e adicione a manteiga, o mel e o sal. Cozinhe por cerca de 7 minutos após levantar fervura ou até engrossar levemente. Sirva a seguir.

Dica: se desejar um creme mais grosso, adicione 1 colher (sobremesa) de amido de milho dissolvido em ¼ de xícara (chá) de leite.

Pernil assado ao molho Dijon

 4 horas e meia   12 porções

INGREDIENTES

1 pernil de porco sem osso (3 kg)
suco de 2 limões
2 xícaras (chá) de vinho branco seco
4 colheres (sopa) de azeite de oliva
5 dentes de alho amassados
2 folhas de louro
2 galhos de alecrim
sal a gosto

Molho
2 colheres (sopa) de óleo
1 cebola grande em cubinhos
1 colher (sopa) de amido de milho
2 xícaras (chá) de caldo de legumes
½ xícara (chá) de molho da marinada do pernil
4 colheres (sopa) de mostarda Dijon
1 lata de creme de leite
cheiro-verde picado a gosto
galhos de alecrim e mostarda em grãos para decorar

PREPARO

Na véspera, coloque o pernil em um recipiente e tempere com o suco de limão, o vinho branco, o azeite de oliva, o alho amassado, o louro, o alecrim e o sal. Faça furos na carne para que o tempero penetre. Cubra com filme plástico e deixe na geladeira até o dia seguinte.

Coloque o pernil numa assadeira, regue-o com a marinada restante, cubra com papel-alumínio e leve ao forno alto (200 °C), preaquecido, por aproximadamente 3 h e 30 min, regando-o algumas vezes com o caldo da assadeira. Retire o papel-alumínio e deixe dourar por 40 minutos.

Molho

Aqueça o óleo em uma panela e doure a cebola. Junte o amido de milho dissolvido no caldo de legumes, a marinada reservada e, mexendo sempre, deixe cozinhar até que comece a engrossar.

Retire a panela do fogo, acrescente o creme de leite, a mostarda, o cheiro-verde, misture bem e acerte o sal.

Sirva o pernil com o molho e decore com galhos de alecrim e a mostarda em grãos.

Bisteca ao molho de maracujá

⏱ 40 minutos ◎ 6 porções

INGREDIENTES
200 ml de suco de maracujá
5 dentes de alho amassados
4 colheres (sopa) de mostarda
sal e pimenta-do-reino a gosto
1 kg de bisteca de porco
1½ colher (sopa) de manteiga

PREPARO
Em um recipiente, coloque o suco de maracujá, o alho, a mostarda, o sal, a pimenta e misture. Tempere as bistecas com esse molho, cubra com filme de PVC e deixe marinar na geladeira por 30 minutos. Unte uma assadeira com manteiga, distribua as bistecas, regue com o tempero e leve ao forno preaquecido (180 °C) por 40 minutos.

Dica: a bisteca é versátil e você pode substituir o molho de maracujá por um molho de tangerina ou barbecue.

Carneiro ao molho de hortelã

 45 minutos   6 porções

INGREDIENTES

Carneiro
1 perna de carneiro
4 dentes de alho
1 colher (sopa) de alecrim seco
galhos de alecrim fresco
3 folhas de louro
sal e pimenta a gosto
1 copo de vinho rosé seco

Molho
1 maço de hortelã
sal e pimenta a gosto
2 colheres (sopa) de mostarda
1 xícara (chá) de azeite de oliva

PREPARO

Em um recipiente, coloque o alho, o alecrim seco, os galhos de alecrim, as folhas de louro, o sal, a pimenta, o vinho e misture. Regue a carne e deixe no molho por 30 minutos. Depois, coloque em uma assadeira, regue com um pouco de azeite e o tempero. Cubra com papel--alumínio. Leve ao forno (150 °C) por 15 minutos e a seguir aumente para 180 °C e deixe mais 30 minutos sem o papel-alumínio. Para o molho, coloque o molho do cozimento no liquidificador junto com os demais ingredientes. Bata e sirva sobre a carne.

Dica: compre o carneiro já limpo, sem pele, em pedaços. Sirva com batatas cozidas e bananas fritas.

Aves

Frango crocante com molho

⏱ 45 minutos ◎ 6 porções

INGREDIENTES

3 dentes de alho amassados
4 colheres (sopa) de mostarda
1 colher (sopa) de vinagre branco
sal a gosto
6 filés de peito de frango
1 pacote de biscoito água e sal (200 g)
2 xícaras (chá) de farinha de trigo
3 ovos ligeiramente batidos
óleo para fritar

Molho

1 colher (sopa) de manteiga
2 colheres (sopa) de cebola picada
150 g de cogumelos em conserva
200 ml de creme de leite
sal a gosto
salsinha picada a gosto

PREPARO

Em um recipiente, misture bem o alho, a mostarda, o vinagre e o sal. Tempere os filés de frango com essa mistura. Cubra e deixe na geladeira por 2 horas.
Bata os biscoitos no liquidificador ou em um processador para obter uma farofa grossa.
Passe cada filé de frango na farinha de trigo, depois nos ovos batidos e, por último, no biscoito triturado, apertando com as mãos para firmar a casquinha.
Aqueça o óleo e frite os filés de frango, virando-os de vez em quando, até que fiquem dourados e crocantes. Coloque sobre papel absorvente e reserve.

Molho

Em uma panela, aqueça a manteiga e doure a cebola. Acrescente o cogumelo, o creme de leite, o sal e a salsinha. Misture bem e deixe aquecer. Sirva o molho com os filés crocantes.

Frango com pera

 45 minutos   8 porções

INGREDIENTES

3 colheres (sopa) de óleo
6 sobrecoxas de frango sem pele
1 cebola picada
1 xícara (chá) de molho de tomate natural
½ xícara (chá) de água
sal a gosto
3 peras cortadas em fatias
1 colher (chá) de farinha de trigo
½ xícara (chá) de água
2 colheres (sopa) de gergelim

PREPARO

Aqueça o óleo e frite as sobrecoxas até que estejam douradas. Junte a cebola e frite-a. Acrescente o molho de tomate, a água, o sal e a pimenta-do-reino e deixe cozinhar por mais 10 minutos. Acrescente as peras e a farinha de trigo dissolvida na água e deixe apurar até que o molho fique encorpado. Coloque em uma travessa e salpique o gergelim.

Dica: dê preferência às peras que são mais firmes para esta receita.

Frango xadrez

 45 minutos   8 porções

INGREDIENTES

¼ de xícara (chá) de óleo
½ kg de peito de frango cortado em cubos
1 cebola picada
½ xícara (chá) de molho de soja
½ xícara (chá) de vinho branco
1 colher (sopa) de açúcar
sal e pimenta-do-reino a gosto
1 pimentão vermelho sem sementes cortado em cubos
1 pimentão amarelo sem sementes cortado em cubos
1 pimentão verde sem sementes cortado em cubos
2 ramos de salsão picados
4 ramos de cebolinha picados
1 xícara (chá) de amendoim

PREPARO

Em uma frigideira, aqueça o óleo e frite o peito de frango. Junte a cebola e deixe murchar. Acrescente o molho de soja, o vinho, o açúcar, o sal e a pimenta, misture e deixe ferver por 5 minutos em fogo baixo. Acrescente os pimentões, misture e deixe por mais 5 minutos ou até que estejam macios. Por fim, junte o salsão e a cebolinha e deixe murchar um pouco. Coloque em um recipiente e decore com amendoim.

Dica: se o pimentão for indigesto, retire a pele antes de utilizá-lo na receita.

Peru ao molho de vinho

⏱ 5 horas ◎ 12 porções

INGREDIENTES

1 peru (4 kg)
1 garrafa de vinho branco seco
1 xícara (chá) de manjericão picado
10 dentes de alho
3 cebolas picadas
2½ xícaras (chá) de manteiga derretida
8 folhas de louro
5 colheres (sopa) de tomilho seco
sal a gosto
frutas em calda e salsinha crespa para decorar (opcional)

Molho

1 xícara (chá) de açúcar
2 xícaras (chá) de vinho tinto seco
4 colheres (sopa) de molho inglês
2 colheres (sopa) de mostarda
2 colheres (sopa) de creme de leite

PREPARO

Bata no liquidificador o vinho, o manjericão, o alho e a cebola. Coloque em um recipiente, junte a manteiga derretida, as folhas de louro, o tomilho, o sal e misture bem com o auxílio de um batedor (fouet). Faça alguns furos no peru com o auxílio de um garfo e esfregue o tempero no peru por dentro e por fora. Deixe marinar na geladeira por 6 horas.
Transfira o peru para uma assadeira junto com o tempero, cubra com papel-alumínio e leve ao forno médio (180 ºC), preaquecido, e asse por aproximadamente 3 h e 30 min, regando-o algumas vezes com o tempero da assadeira. Retire o papel-alumínio e deixe por mais 40 minutos ou até que fique dourado.

Molho

Coloque o açúcar em uma panela e leve ao fogo até que obtenha um caramelo. Junte o vinho tinto aos poucos, mexendo sempre, até a calda engrossar. Acrescente o molho inglês, a mostarda e deixe ferver por mais alguns minutos. Desligue o fogo, junte o creme de leite e misture bem.
Retire o peru do forno, coloque-o em uma travessa e decore com as frutas em calda e a salsinha crespa (opcional). Sirva o peru com o molho à parte.

Estrogonofe de frango

 35 minutos ◎ 8 porções

INGREDIENTES
2 colheres (sopa) de manteiga
1 colher (sopa) de óleo
2 peitos de frango cortados em cubos
1 cebola picada
2 tomates sem pele e sem sementes picados
3 colheres (sopa) de ketchup
1 colher (sopa) de mostarda
1 xícara (chá) de champignon
1 lata de creme de leite
sal e pimenta-do-reino a gosto
4 colheres (sopa) de conhaque
salsinha picada a gosto

PREPARO
Em uma panela, aqueça a manteiga com o óleo e frite o frango. Acrescente a cebola e doure-a. Na sequência, coloque os tomates e refogue por 5 minutos. Junte o ketchup e a mostarda. Misture. Acrescente os cogumelos, o creme de leite, misture e tempere com sal e pimenta. Retire a panela do fogo, regue com o conhaque flambado e decore com salsinha.

Dica: sirva o estrogonofe com batata palha ou chips.

Frango com especiarias

 1 hora e vinte minutos   6 porções

INGREDIENTES

Frango
6 filés de frango
3 dentes de alho amassados
1 colher (sopa) de curry
sal a gosto
2 colheres (sopa) de óleo

Molho
5 colheres (sopa) de manteiga
1 colher (sopa) de azeite de oliva
1 cebola ralada
2 colheres (sopa) de farinha de trigo
2 xícaras (chá) de caldo de galinha
2 xícaras (chá) de tomate sem pele
   e sem sementes picado
1 vidro pequeno de leite de coco
3 pimentas-dedo-de-moça
   sem sementes picadas
4 colheres (sopa) de cheiro-verde picado

PREPARO

Em um recipiente, coloque os filés e tempere com o alho, o curry e o sal. Deixe descansar por 1 hora na geladeira. Em seguida, aqueça o óleo e frite os filés, virando-os de vez em quando. Prepare o molho. Em uma panela, aqueça a manteiga com o azeite de oliva e doure a cebola. Acrescente a farinha de trigo, misture bem e junte o caldo de galinha, o tomate e o leite de coco. Mexendo sempre, deixe apurar até começar a ficar encorpado. Acrescente a pimenta e o cheiro-verde, acerte o sal e sirva com os filés de frango.

Dica: acrescente 1 pimentão amarelo sem sementes picado. Fica uma delícia!

Salpicão de frango

 30 minutos   10 porções

INGREDIENTES
água o suficiente
1 tablete de caldo de galinha
1 kg de batatas cortadas em cubos
1 peito de frango cozido e desfiado
1 lata de ervilhas em conserva
     (sem a água)
1 lata de milho verde em conserva
     (sem a água)
200 g de presunto cortado em cubos
1 xícara (chá) de azeitonas picadas
1 cebola picada
1 maçã verde picada
1 xícara (chá) de cebolinha picada
1 ramo de salsão picado
100 g de batata palha
1 vidro (250 g) de maionese
suco de 2 limões
azeite de oliva a gosto
sal e pimenta-do-reino a gosto

PREPARO
Aqueça a água em uma panela e dissolva o tablete de caldo de galinha. Coloque a batata e deixe cozinhar até que fique al dente. Escorra a água e coloque em um recipiente grande. Em seguida, acrescente o frango cozido e desfiado, a ervilha, o milho, o presunto, a azeitona, a cebola, a maçã, a cebolinha e o salsão. Misture a cada ingrediente. Por fim, coloque a maionese, o suco dos limões, o azeite, o sal e a pimenta. Misture bem, deixe na geladeira. Decore com a batata palha apenas na hora de servir para ficar crocante.

Frango ao molho de espinafre

 45 minutos 5 porções

INGREDIENTES
5 filés de peito de frango
3 colheres (sopa) de suco de limão
3 dentes de alho picados
sal a gosto
2 colheres (sopa) de óleo

Molho
1½ xícara (chá) de espinafre cozido
1 pote de iogurte natural
1 lata de creme de leite
2 colheres (sopa) de mostarda
sal a gosto

PREPARO
Tempere os filés com o suco de limão, o alho e o sal. Aqueça o óleo e frite-os até que dourem. Enquanto isso, bata no liquidificador o espinafre, o iogurte, o creme de leite, a mostarda e o sal até que fique homogêneo. Despeje em uma panela e aqueça rapidamente para não talhar. Sirva com os filés.

Dica: você também pode servir com uma salada de folhas e legumes.

Hambúrguer de frango ao molho rosado

 45 minutos   8 porções

INGREDIENTES

Hambúrguer
1 envelope de caldo de galinha em pó
1 xícara (chá) de água
1 pão francês
2 peitos de frango moídos
1 colher (sopa) de cebola ralada
1 colher (sopa) de molho de soja
1 colher (chá) de mostarda
5 a 6 colheres (sopa) de óleo para fritar

Molho
2 colheres (sopa) de manteiga
2 colheres (sopa) rasas de farinha de trigo
1 envelope de caldo de galinha em pó
2 xícaras de chá de água
1 colher (sopa) de ketchup

PREPARO

Dissolva o caldo de galinha na água e coloque o pão de molho por alguns minutos até que fique bem úmido. Coloque em um refratário, acrescente o frango moído, a cebola, o molho de soja, a mostarda e amasse bem até que fique homogêneo. Pegue porções dessa massa e molde os hambúrgueres. Reserve na geladeira. Aqueça o óleo e frite o hambúrguer dos dois lados.
Para fazer o molho, derreta a manteiga e doure a farinha de trigo. Dissolva o caldo de galinha em pó na água e acrescente aos poucos à panela, mexendo sempre, até que comece a ferver. Adicione o ketchup e misture para incorporar. Deixe cozinhar em fogo baixo por 15 a 20 minutos. Sirva com os hambúrgueres.

Dica: se preferir, em vez de fritar o hambúrguer no óleo, apenas grelhe-o numa frigideira antiaderente.

Peixes e frutos do mar

Bacalhau ao alho e óleo

 55 minutos   8 porções

INGREDIENTES

1 kg de bacalhau em postas
4 xícaras (chá) de água
1 xícara (chá) de azeite
1½ cabeça de alho

PREPARO

Em uma vasilha, deixe o bacalhau de molho em água fria por 24 horas na geladeira, trocando a água cerca de 6 vezes.
Coloque a água em uma panela e leve ao fogo. Após levantar fervura, acrescente o bacalhau e cozinhe por aproximadamente 5 minutos. Escorra bem a água.
Em uma frigideira, aqueça o azeite e frite o alho cortado em lâminas, sem deixar escurecer demais. Reserve os alhos e um pouco de azeite.
Na mesma frigideira, frite as postas de bacalhau dos dois lados. Retire e acomode-as em um refratário. Distribua o alho frito e o azeite reservado sobre o bacalhau.

Dica para decorar o prato: refogue na mesma frigideira brócolis e batatas cozidas, pimentão sem pele e azeitonas pretas.

Moqueca rápida de robalo

 1 hora   5 porções

INGREDIENTES
5 filés de robalo
suco de 1 limão
4 dentes de alho picados
sal a gosto
2 colheres (sopa) de óleo
1 cebola cortada em rodelas
5 tomates sem sementes picados
1 pimentão amarelo sem sementes
  cortado em rodelas
1 pimentão vermelho sem sementes
  cortado em rodelas
½ xícara (chá) de leite de coco
coentro picado a gosto

PREPARO
Tempere os filés com o suco de limão, metade do alho e o sal. Reserve. Aqueça o óleo em uma panela e doure a cebola e o restante do alho. Acrescente o tomate e os pimentões e refogue por 5 minutos. Junte o peixe e deixe cozinhar até que esteja macio. Acrescente o leite de coco, misture e acerte o sal. Salpique o coentro e sirva.

Dica: você pode substituir o robalo por pescada ou merluza.

Atum com gergelim

 30 minutos   2 porções

INGREDIENTES

Peixe
500 g de lombo de atum limpo
sal a gosto
½ xícara (chá) de gergelim branco
½ xícara (chá) de gergelim preto
½ xícara (chá) de cebolinha picadinha
1 colher (sopa) de azeite de oliva

Molho
1½ xícara (chá) de vinagre balsâmico
½ xícara (chá) de saquê
6 colheres (sopa) de mel
cebolinha a gosto

PREPARO

Comece pelo molho. Em uma panela, coloque o vinagre balsâmico, o saquê e o mel, misture e leve ao fogo para apurar até reduzir pela metade. Reserve. Tempere a peça de atum com o sal. Em um prato, misture bem o gergelim branco, o gergelim preto e a salsinha. Envolva todo o atum nessa mistura, pressionando para que o gergelim grude no atum. Aqueça o azeite em uma frigideira antiaderente e doure o atum, virando-o na metade do tempo. Sirva o atum com o molho e decore com a cebolinha.

Tainha recheada

🕐 1 hora   ◎ 8 porções

INGREDIENTES

Peixe
suco de 1 limão
sal e pimenta-do-reino a gosto
1 tainha limpa (2 kg)

Farofa
100 g de margarina
1 cebola picada
1 pimentão amarelo picado
1 pimentão vermelho picado
1 cenoura ralada
1 lata de atum
2 maçãs picadas
1 xícara (chá) de azeitonas
1 pacote de bolacha salgada triturada
100 g de queijo parmesão ralado
sal e pimenta-do-reino a gosto
coentro picado a gosto
fatias de limão para decorar

PREPARO

Numa tigela, coloque o suco de limão, o sal, a pimenta-do-reino e misture bem. Reserve.
Em outro recipiente, disponha a tainha e regue-a com o tempero reservado. Deixe marinar por 30 minutos.

Farofa
Aqueça a margarina em uma frigideira e refogue a cebola com os pimentões e a cenoura. Junte o atum, as maçãs, as azeitonas, a bolacha e o queijo ralado. Misture bem e tempere com o sal, a pimenta-do-reino e o coentro.
Coloque a farofa na barriga da tainha e costure-a com uma linha grossa.
Disponha a tainha em uma assadeira forrada com papel-alumínio. Regue com a marinada e leve ao forno médio (180 °C), preaquecido, e asse por 30 minutos. Sirva a seguir, com fatias de limão.

Pescada com molho de iogurte

 45 minutos 8 porções

INGREDIENTES

Peixe
8 filés de pescada
suco de 1 limão
1 dente de alho picado
sal e pimenta-do-reino a gosto
½ xícara (chá) de farinha de trigo
¾ de xícara (chá) de fubá
óleo, o suficiente para fritar

Molho de iogurte
1 colher (sopa) de manteiga
1 colher (sopa) de cebola picada
2 potes de iogurte natural
2 colheres (sopa) de mostarda
1 colher (sopa) de suco de limão
1 xícara de legumes cozidos
cebolinha picada a gosto

PREPARO
Tempere os filés com o suco de limão, o alho, o sal e a pimenta. Deixe no tempero por 15 minutos. Misture a farinha de trigo com o fubá. Passe cada filé nessa mistura e frite no óleo quente até que fique dourado. Em seguida, coloque sobre o papel absorvente para escorrer o excesso de gordura.

Molho de iogurte
Em uma panela, derreta a manteiga e murche a cebola. Junte o iogurte, a mostarda, o suco de limão e a cebolinha. Adicione os legumes cozidos, misture bem e acerte o sal. Sirva com os filés.

Dica: você pode acrescentar ao molho pepino em conserva bem picadinho.

Badejo ao molho de ervas

 40 minutos   6 porções

INGREDIENTES

Peixe
1 kg de badejo
sal e pimenta-do-reino a gosto
suco de 1 limão
farinha de trigo para empanar
óleo para fritar

Molho
200 ml de leite
2 potes de iogurte natural
½ xícara (chá) de alcaparras
2 colheres (sopa) de mostarda
1 colher (sopa) de azeite de oliva
1 colher (sopa) rasa de ervas finas
sal a gosto

PREPARO

Tempere os filés de badejo com sal, pimenta e suco de limão. Cubra com filme de PVC e deixe na geladeira por 30 minutos. A seguir, passe-os pela farinha de trigo e frite-os em óleo quente até que fiquem dourados. Escorra-os em papel absorvente. Prepare o molho misturando, em um recipiente, o leite, o iogurte, as alcaparras, a mostarda, o azeite, as ervas finas e o sal. Sirva em seguida.

Dica: preste atenção para não exagerar no tempero! Peixes absorvem o sabor com mais facilidade.

Salmão com pirão de leite de coco

 40 minutos   4 porções

INGREDIENTES

Peixe
4 postas de salmão
suco de 1 limão
2 dentes de alho amassados
sal a gosto

Pirão
4 tomates sem pele e sem sementes picados
2 cebolas picadas
1 pimentão verde sem sementes picado
1½ xícara (chá) de água
3 colheres (sopa) de óleo
3 dentes de alho picados
1 vidro de leite de coco
½ xícara (chá) de azeite de dendê
3 colheres (sopa) de cebolinha picada
2 colheres (sopa) de coentro picado
1 colher (chá) de colorau
1 xícara (chá) de farinha de mandioca

PREPARO

Tempere o salmão com o suco de limão, o alho e o sal. Cubra com filme de PVC e deixe na geladeira por uma hora. Em seguida, grelhe as postas de salmão. Enquanto isso, prepare o pirão. Bata no liquidificador o tomate, a cebola, o pimentão e a água até que fique homogêneo. Aqueça o óleo em uma panela, doure o alho e junte a mistura do liquidificador. Acrescente o leite de coco, o azeite de dendê, a cebolinha, o coentro, o colorau e misture bem. Leve ao fogo e, assim que levantar fervura, coloque a farinha de mandioca aos poucos, mexendo sempre, até que desprenda do fundo da panela. Sirva o salmão com o pirão de leite de coco.

Dica: na hora de comprar o salmão, verifique se está firme e com a superfície alaranjada, lisa e brilhante.

Cação com molho de camarão

 50 minutos 5 porções

INGREDIENTES

Peixe
1 kg de cação em postas
suco de 2 limões
sal a gosto
1 colher (café) de pimenta-do-reino branca
farinha de trigo, o suficiente para empanar
óleo para fritar

Molho
½ xícara (chá) de azeite de oliva
1 cebola picada
½ litro de suco de tomate
1 tablete de caldo de camarão
½ kg de camarão pequeno limpo
salsinha picada a gosto

PREPARO

Tempere as postas de cação com o suco de limão, o sal e a pimenta e cubra com filme de PVC. Deixe na geladeira por 30 minutos. A seguir, passe cada posta pela farinha de trigo e frite em óleo quente até que fique dourada. Retire do fogo e escorra sobre papel absorvente.
Para o molho, aqueça o azeite em uma panela e doure a cebola. Junte o suco de tomate, o tablete de caldo de camarão, e deixe cozinhar por 15 minutos. Acrescente o camarão e cozinhe por mais 5 minutos. Acrescente a salsinha, acerte o sal e sirva com cação.

Dica: você pode substituir a salsinha picada por coentro, mas lembre-se de usá-lo com moderação, pois seu sabor é mais intenso!

Camarão na moranga

 1 hora   8 porções

INGREDIENTES

1 moranga
4 colheres (sopa) de azeite de oliva
2 dentes de alho amassados
1 cebola picada
1 kg de camarão médio limpo
5 tomates sem sementes picados
sal e pimenta-do-reino a gosto
3 colheres (sopa) de catchup
1 lata de creme de leite sem soro
300 g de requeijão cremoso

PREPARO

Lave a moranga e retire a tampa e as sementes. Enrole-a em papel-alumínio e leve ao forno médio (180 ºC), preaquecido, por 45 minutos. Reserve.
Em uma panela, aqueça o azeite e refogue o alho e a cebola. Acrescente o camarão e refogue-o rapidamente, até que comece a mudar de cor. Junte os tomates, o sal, a pimenta-do-reino e o catchup. Desligue o fogo. Acrescente o creme de leite e cozinhe por 5 minutos. Reserve.
Besunte o interior da moranga com o requeijão e despeje o creme de camarão dentro dela. Leve ao forno médio (180 ºC), preaquecido, por aproximadamente 15 minutos. Sirva a seguir.

Dica: substitua o camarão por frango, carne seca, palmito ou cação.

Cuscuz de camarão

⏱ 40 minutos ◎ 10 porções

INGREDIENTES

½ xícara (chá) de azeite de oliva
1 cebola grande picada
1 vidro pequeno de palmito em conserva
   picado (sem a água)
1 lata de ervilha em conserva (sem a água)
½ xícara (chá) de azeitona verde
1 lata de molho de tomate
½ kg de camarão limpo
3 xícaras (chá) de farinha de milho
1 xícara (chá) de cebolinha picada
sal e pimenta a gosto
rodelas de ovos cozidos e de tomates
   para decorar

PREPARO

Aqueça o azeite em uma panela e doure a cebola. Acrescente o palmito, a ervilha, a azeitona, misture e refogue por 5 minutos. Coloque o molho de tomate, o camarão, misture e ferva por mais 5 minutos. Em seguida, junte a farinha de milho, a cebolinha, o sal e a pimenta. Cozinhe por mais alguns minutos, mexendo sempre, até que fique homogêneo. Coloque em um refratário de vidro com furo no meio untado. Intercale as rodelas de ovos e de tomates no fundo e nas laterais do refratário. Coloque o cuscuz e aperte bem com o auxílio de uma colher. Desenforme. Em seguida, decore de acordo com a sua preferência.

Dica: reserve alguns camarões, refogue-os no azeite de oliva e use-os na decoração do cuscuz.

Sardinha marinada

 40 minutos 8 porções

INGREDIENTES
½ kg de sardinha fresca
sal a gosto
pimenta-do-reino a gosto
1 xícara (chá) de farinha de trigo
¼ de xícara (chá) de azeite de oliva

Marinada
2 xícaras (chá) de azeite de oliva
4 cebolas cortadas em fatias finas
2 xícaras (chá) de vinagre de vinho
    branco
1 xícara (chá) de uvas-passas escuras
2 folhas de louro
grãos de pimenta-do-reino

PREPARO
Limpe a sardinha e retire os filés. Tempere-os com o sal e a pimenta-do-reino. Passe os filés na farinha de trigo e dê leves batidinhas para tirar o excesso de farinha.
Em uma assadeira, espalhe o azeite de oliva, coloque os filés de sardinha e leve ao forno médio (180 °C), preaquecido, para assar por aproximadamente 10 minutos. Reserve.

Marinada
Em uma panela, aqueça o azeite e refogue a cebola. Deixe esfriar. Acrescente o vinagre, a uva-passa, os grãos de pimenta-do-reino e o louro.
Em um recipiente com tampa, monte camadas de filés de sardinha e marinada, intercalando-as. Tampe e deixe descansar na geladeira por 24 horas para curtir o tempero.

Massas
e molhos

Salada de macarrão

 1 hora   6 porções

INGREDIENTES
100 g de mozarela de búfala
1 pimentão vermelho sem pele e sem sementes picado
1 cebola picada
1 xícara (chá) de azeitonas pretas
1 xícara (chá) de bacon picado e frito
2 latas de atum em conserva (sem o óleo)
orégano a gosto
½ kg de macarrão penne cozido al dente
½ xícara (chá) de azeite de oliva
1 xícara (chá) de cebolinha

PREPARO
Misture em uma tigela a mozarela, o pimentão, a cebola, a azeitona, o bacon, o atum, o sal e o orégano. Acrescente o macarrão, o azeite, misture e coloque em uma travessa. Salpique a cebolinha e deixe na geladeira até o momento de servir.

Penne com salmão defumado

 50 minutos   8 porções

INGREDIENTES
500 g de macarrão penne
5 litros de água
sal a gosto

Molho
4 colheres (sopa) de manteiga
1 cebola ralada
½ kg de salmão defumado em fatias
500 ml de creme de leite fresco
1 colher (sobremesa) de amido de milho
½ xícara (chá) de leite
1 xícara (chá) de requeijão
½ xícara (chá) de salsinha picada
noz moscada a gosto
sal a gosto

PREPARO

Cozinhe o macarrão em água fervente com sal até que fique al dente. Escorra a água do penne, coloque numa travessa aquecida e reserve.
Em uma panela, aqueça a manteiga e refogue a cebola. Acrescente o salmão e deixe cozinhar por cerca de 10 minutos. Junte o creme de leite fresco, o amido de milho dissolvido no leite e deixe cozinhar, mexendo sempre, até que comece a engrossar. Por último, coloque o requeijão, a salsinha, a noz moscada, o sal e misture bem. Misture o molho ao macarrão cozido e sirva imediatamente.

Gravatinha ao molho com presunto

 50 minutos  8 porções

INGREDIENTES
500 g de macarrão gravatinha
5 litros de água
sal a gosto
1 colher (sopa) de manteiga
500 g de presunto cortado em cubos

Molho
2 colheres (sopa) de manteiga
1 cebola ralada
1 colher (sopa) de farinha de trigo
1 litro de leite quente
sal a gosto
noz moscada a gosto
cheiro-verde picado a gosto
parmesão ralado grosso a gosto

PREPARO
Cozinhe o macarrão em água fervente com sal até que fique al dente. Escorra a água, coloque numa travessa aquecida e reserve.
Aqueça a manteiga em uma frigideira e frite ligeiramente o presunto. Reserve.

Molho
Em uma panela aqueça a manteiga e refogue a cebola. Junte a farinha de trigo e deixe dourar. Acrescente o leite de uma só vez e, mexendo sempre, deixe apurar até engrossar. Tempere com o sal, a noz moscada, o cheiro-verde, o presunto reservado e mexa bem.
Misture o molho ao macarrão cozido, salpique o parmesão e sirva imediatamente.

Espaguete à carbonara

⏱ 30 minutos   ◎ 2 porções

INGREDIENTES

200 g de espaguete
água, o suficiente
sal a gosto
1 xícara (chá) de bacon picado
4 ovos
1 caixinha de creme de leite homogeneizado
½ xícara (chá) de queijo parmesão ralado
2 colheres (sopa) de manteiga

PREPARO

Cozinhe o espaguete na água fervente com sal até que fique al dente. Enquanto isso, frite o bacon na própria gordura e reserve. Em um recipiente, bata ligeiramente com o auxílio de um garfo os ovos com o creme de leite, o parmesão e a manteiga. Escorra bem a água do espaguete e leve-o de volta para a panela. Junte a mistura de ovos e misture delicadamente. Deixe cozinhar por apenas 2 minutos no fogo baixo. Por fim, coloque o bacon frito, misture e sirva em seguida.

Macarrão ao molho de shitake

⏱ 30 minutos   ◎ 2 porções

INGREDIENTES

250 g de macarrão conchinha
água, o suficiente
sal a gosto
3 colheres (sopa) de azeite de oliva
1 cebola picada
300 g de cogumelo shitake cortado em fatias finas
½ xícara (chá) de vinho branco seco
2 xícaras (chá) de creme de leite fresco
cebolinha picada a gosto

PREPARO

Cozinhe a conchinha na água fervente até que fique al dente. Enquanto isso, aqueça o azeite e doure a cebola. Junte o cogumelo shitake e refogue-o por 5 minutos. Acrescente o vinho branco e espere evaporar. Por fim, coloque o creme de leite fresco, misture, deixe apurar por mais 5 minutos e tempere com o sal. Escorra a água do macarrão. Coloque as conchinhas em uma travessa, sirva com o molho e salpique a cebolinha.

Talharim cremoso com presunto

 45 minutos   8 porções

INGREDIENTES

½ kg de talharim
água, o suficiente
sal a gosto
1 xícara (chá) de manteiga
1 cebola picada
250 g de presunto cortado em tiras
1½ xícara (chá) de ervilha fresca pré-cozida
4 ovos
4 xícaras (chá) de creme de leite fresco
1 xícara (chá) de requeijão
½ xícara (chá) de queijo parmesão ralado
noz-moscada a gosto

PREPARO

Cozinhe o talharim na água fervente com sal até ficar al dente. Enquanto isso, em outra panela, aqueça metade da manteiga e refogue a cebola. Acrescente as tiras de presunto, a ervilha e refogue por mais 5 minutos. Reserve. Em um recipiente, bata os ovos com o creme de leite fresco. Aqueça o restante da manteiga, junte essa mistura de ovos e o requeijão e mexa. Por fim, coloque o macarrão escorrido, o refogado de presunto com ervilha, o parmesão, o sal e a noz-moscada e misture até que todo o macarrão fique envolvido pelo molho.

Dica: coloque este macarrão em um refratário, salpique queijo parmesão ralado e leve ao forno para gratinar.

Gravatinha com creme verde

 35 minutos   6 porções

INGREDIENTES

½ kg de macarrão gravatinha
água, o suficiente
sal a gosto
3 colheres (sopa) de manteiga
1 colher (sopa) de cebola picada
1 colher (sopa) de farinha de trigo
½ litro de leite quente
½ maço de manjericão
220 g de queijo cremoso em tabletes tipo polenghi
sal e pimenta-do-reino a gosto
queijo parmesão ralado a gosto
fatias de bacon fritas para decorar

PREPARO

Cozinhe o macarrão na água fervente com sal até que fique al dente. Enquanto isso, aqueça a manteiga em uma panela e murche a cebola. Acrescente a farinha de trigo e doure-a. Coloque o leite e, mexendo sempre, deixe apurar até que comece a engrossar. Junte o manjericão, os tabletes de queijo cremoso picados, o sal e a pimenta. Reserve alguns pedaços de queijo para decorar o prato. Escorra a água do macarrão, sirva-o com o creme e decore com o queijo parmesão e as fatias de bacon.

Dica: esta receita também fica gostosa com espaguete ou penne tricolore.

Concha com quatro queijos

 1 hora e 15 minutos   8 porções

INGREDIENTES

5 litros de água
sal a gosto
óleo o suficiente
500 g de macarrão tipo concha

Molho
½ xícara (chá) de azeite
4 dentes de alho
1 cebola picada
1 colher (sopa) de extrato de tomate
500 g de tomates sem pele batidos no liquidificador
1 colher (chá) de açúcar
sal a gosto
½ xícara (chá) de manjericão picado

Recheio
250 g de queijo prato ralado
250 g de queijo provolone ralado
250 g de queijo mozarela ralado
1 colher (sopa) de orégano
400 g de requeijão cremoso
200 g de queijo parmesão ralado

PREPARO

Divida o macarrão em duas partes e cozinhe-as separadamente em água fervente com sal e um fio de óleo. Escorra e reserve-as, num refratário aquecido, deixando-as separadas.

Molho
Em uma panela, aqueça o azeite e refogue o alho e a cebola. Junte o extrato de tomate, os tomates batidos, o açúcar e o sal. Deixe cozinhar com a panela tampada até engrossar o molho. Desligue o fogo e acrescente o manjericão.

Recheio
Em um recipiente, coloque os queijos prato, provolone e mozarela. Junte o orégano e o requeijão cremoso e misture bem até obter uma mistura homogênea.
Recheie as conchas e acomode-as em um refratário. Regue o molho, polvilhe o queijo ralado e leve ao forno médio (180 °C), preaquecido, por aproximadamente 20 minutos. Sirva a seguir.

Dica: é importante cozinhar o macarrão separadamente para evitar que as conchas grudem.

Espaguete ao pesto

 30 minutos   5 porções

INGREDIENTES

½ kg de espaguete
água, o suficiente
sal a gosto
1 maço de manjericão
1 dente de alho
½ xícara (chá) de nozes
1 xícara (chá) de azeite de oliva
4 colheres (sopa) de queijo parmesão ralado grosso
2 pedras de gelo

PREPARO

Cozinhe o espaguete na água fervente com sal até que fique al dente. Enquanto isso, lave bem as folhas de manjericão, seque-as e coloque-as no liquidificador com o alho, as nozes, o parmesão e as pedras de gelo. Bata até tudo ficar bem moído e acrescente o azeite aos poucos, em fio, sem parar de bater, até obter uma pasta. Reserve. Escorra a água do espaguete, misture-o com a pasta e sirva.

Espaguete à moda árabe

 30 minutos   5 porções

INGREDIENTES

½ kg de espaguete
água, o suficiente
sal a gosto
3 colheres (sopa) de óleo
2 cebolas picadas
½ kg de carne moída (patinho)
4 tomates sem pele e sem sementes picados
½ colher (chá) de pimenta-síria
hortelã picada a gosto
azeite de oliva a gosto

PREPARO

Cozinhe o macarrão na água fervente com sal até que fique al dente. Enquanto isso, aqueça o óleo em uma panela e doure a cebola. Acrescente a carne moída e frite até que evapore todo o excesso de líquido que vai se formar durante o cozimento. Junte o tomate, misture e refogue por mais 5 minutos. Tempere com a pimenta-síria e o sal. Escorra bem a água do macarrão e coloque-o em um recipiente. Junte o refogado, a hortelã e misture delicadamente. No momento de servir, regue com azeite de oliva.

Lasanha de atum

45 minutos — 8 porções

INGREDIENTES

2 colheres (sopa) de óleo
½ cebola picada
4 latas de molho de tomate
uma pitada de açúcar
1 xícara (chá) de requeijão
sal a gosto
4 latas de atum sólido em conserva (sem óleo)
½ xícara (chá) de salsinha picada
500 g de massa fresca para lasanha pré-cozida
200 g de queijo mozarela cortado em fatias
½ xícara (chá) de queijo parmesão ralado grosso

PREPARO

Em uma panela, aqueça o óleo e doure a cebola. Junte o molho de tomate e o açúcar, misture e deixe cozinhar por 10 minutos. Acrescente o requeijão e o sal e misture bem. Reserve.
Em uma tigela, misture o atum com a salsinha e reserve.
Em um refratário, coloque uma camada de molho, uma de massa, uma de mozarela e uma camada de atum. Repita a sequência até terminar os ingredientes, finalizando com a massa e o molho. Salpique o queijo parmesão e leve ao forno médio alto (200 °C), preaquecido, por cerca de 30 minutos. Sirva a seguir.

Acompanhamentos

Polenta cremosa

 50 minutos   8 porções

INGREDIENTES
1 litro de água
1 colher (sopa) de manteiga
1 colher (sopa) de cebola picada
1 tablete de caldo de galinha
sal a gosto
1½ xícara (chá) de fubá
250 ml de creme de leite

Molho
3 colheres (sopa) de azeite de oliva
250 g de carne moída
2 dentes de alho amassados
1 cebola picada
sal e pimenta-do-reino a gosto
1 lata de molho de tomate
queijo ralado para polvilhar

PREPARO
Em uma panela, coloque 750 ml de água, a manteiga, a cebola, o caldo de galinha e o sal. Mexa e deixe no fogo até levantar fervura. Dissolva o fubá na água restante e despeje-o na panela, mexendo para que se incorpore aos demais ingredientes. Cozinhe por cerca de 10 minutos em fogo baixo. Desligue o fogo e adicione o creme de leite. Coloque a polenta em um refratário.

Molho
Aqueça o azeite e frite a carne moída. Adicione o alho, a cebola, e tempere com sal e pimenta-do--reino. Junte o molho de tomate e deixe cozinhar em fogo baixo por cerca de 5 minutos. Coloque o molho sobre a polenta e polvilhe com o queijo ralado.

Risoto de queijo

⏲ 45 minutos   ◎ 10 porções

INGREDIENTES

1,5 litro de água fervente
3 tabletes de caldo de legumes
2 colheres (sopa) de azeite de oliva
2 colheres (sopa) de manteiga
1 cebola picada
3 xícaras (chá) de arroz arbóreo
1 xícara (chá) de vinho branco seco
2 xícaras (chá) de parmesão ralado
  grosso
1 xícara (chá) de requeijão
½ xícara (chá) de salsinha picada

PREPARO

Dissolva o caldo de legumes na água fervente. Reserve.
Em uma panela, aqueça o azeite e metade da manteiga para dourar a cebola. Acrescente o arroz e frite-o. Junte o vinho branco e deixe evaporar. Aos poucos, vá acrescentando o caldo fervente e, mexendo sempre, deixe cozinhar até que o arroz fique macio.
Junte o parmesão e o requeijão e mexa bem. Coloque a salsinha e o restante da manteiga, misture e sirva a seguir.

Arroz chinês

 45 minutos   8 porções

INGREDIENTES

2 colheres (sopa) de óleo
1 pimentão vermelho sem sementes picado
1 pimentão amarelo sem sementes picado
1 pimentão verde sem sementes picado
½ xícara (chá) de vagem pré-cozida
    e picada
200 g de presunto cortado em fatias
    e picado
2 xícaras (chá) de arroz cozido
1 ramo de cebolinha picado
2 ovos cozidos e picados
sal a gosto

PREPARO

Aqueça o óleo e refogue os pimentões e a vagem. Acrescente o presunto e refogue. A seguir, coloque o arroz cozido, o ovo picado e a cebolinha. Misture bem, acerte o sal e sirva em seguida.

Dica: substitua o óleo por óleo de gergelim.

Farofa da vovó

30 minutos 10 porções

INGREDIENTES
5 ovos batidos
2 colheres (sopa) de óleo
2 colheres (sopa) de manteiga
2 cebolas picadas
1 linguiça calabresa defumada picada
½ kg de farinha de mandioca
4 colheres (sopa) de cheiro-verde picado
sal a gosto

PREPARO
Em uma frigideira, aqueça metade do óleo e da manteiga e coloque os ovos batidos. Cozinhe até ficar sequinho, mexendo sempre para desfazer os grumos. Reserve.
Em outra panela, aqueça o restante do óleo e da manteiga e frite a linguiça. Junte a cebola e deixe refogar. Coloque a farinha de mandioca e misture bem. Adicione os ovos mexidos, o cheiro-verde e acerte o sal. Sirva a seguir.

Anéis de cebola

⏲ 1 hora   ◎ 12 porções

INGREDIENTES
1 xícara (chá) de farinha de trigo
1 xícara (chá) de cerveja
1 colher (chá) de sal
3 cebolas cortadas em rodelas grossas
1 litro de água gelada
óleo para fritar

PREPARO
Em uma tigela, coloque a farinha de trigo, a cerveja e o sal, misture bem e deixe descansar por 2 horas.
Em outro recipiente, coloque as cebolas de molho na água gelada, também por 2 horas.
Escorra as cebolas, seque-as com papel absorvente e mergulhe-as na massa. Frite em óleo quente e escorra sobre papel absorvente. Sirva a seguir.

Gratinado de couve-flor

⏱ 35 minutos ◎ 8 porções

INGREDIENTES

Couve-flor
½ litro de água fervente
1 envelope de caldo de legumes
1 couve-flor dividida em ramos
2 colheres (sopa) de margarina amolecida
sal e pimenta-do-reino a gosto
1 colher (sopa) de salsinha picada
4 colheres (sopa) de queijo
    parmesão ralado
1 colher (sopa) de farinha de rosca
margarina para untar e farinha de rosca
    para polvilhar

Molho
250 ml de leite
1 envelope de caldo de legumes
1 colher (sopa) de farinha de trigo
1 gema
2 colheres (sopa) de cream cheese

PREPARO

Dissolva o caldo de legumes na água fervente e coloque a couve-flor para cozinhar até que fique al dente. Escorra a água e passe a couve-flor na margarina com o sal e a pimenta. Refogue por 2 minutos. Acrescente a salsinha e misture. Reserve. Aqueça o leite em uma panela e dissolva o caldo de legumes. Acrescente a farinha de trigo, a gema, o cream cheese e misture com um fouet até que comece a encorpar. Coloque a couve-flor em um refratário untado com margarina e polvilhado com farinha de rosca. Cubra com o molho. Misture o queijo parmesão com a farinha de rosca e salpique sobre o molho. Leve ao forno médio (180 °C) preaquecido até dourar.

Batata ao pesto

🕐 50 minutos   ◯ 10 porções

INGREDIENTES
10 fatias de batata (aproximadamente 1 cm de espessura)
1 xícara (chá) de azeite de oliva
½ xícara (chá) de nozes picadas
½ xícara (chá) de ricota amassada
1 maço de manjericão fresco
2 dentes de alho
sal a gosto
pimenta-do-reino a gosto
queijo parmesão ralado grosso a gosto
nozes para decorar
azeite de oliva para untar o refratário

PREPARO
Em água fervente e com sal, cozinhe as fatias de batata até que fiquem al dente. É importante que as fatias não desmanchem. Coloque-as em um refratário untado e reserve. Bata no processador o azeite de oliva, as nozes, a ricota, o manjericão, o alho, o sal e a pimenta-do-reino. Coloque uma porção dessa pasta sobre cada fatia de batata, cubra com papel-alumínio e leve ao forno médio (180 °C) preaquecido por 10 minutos. Retire do forno, coloque uma porção de queijo sobre cada fatia e decore com as nozes.

Dica: use o pesto sobre torradas, decore-as com folhas de manjericão e nozes e sirva-as como entrada.

Tortilha de legumes

 45 minutos 8 porções

INGREDIENTES

6 ovos
1 colher (sopa) de farinha de trigo ou farinha de rosca
1 cebola cortada em fatias
1 xícara (chá) de ervilha fresca pré-cozida ou em conserva (sem água)
1 xícara (chá) de cenoura picada
1 xícara (chá) de palmito picado
1 xícara (chá) de vagem pré-cozida
1 xícara (chá) de cheiro-verde picado
sal e pimenta a gosto
½ xícara (chá) de azeite de oliva
1 xícara (chá) de queijo parmesão ralado

PREPARO

Na batedeira, bata os ovos e, sem parar de bater, junte a farinha de trigo. Reserve. Em outro recipiente coloque a cebola, a ervilha, a cenoura, o palmito picado, a vagem, o cheiro-verde, o sal e a pimenta. Acrescente a massa reservada e misture. Aqueça o azeite de oliva em uma frigideira, coloque a massa e salpique o queijo parmesão. Cozinhe em fogo baixo por 8 minutos e vire a tortilha com auxílio de uma tampa. Deixe cozinhar por mais 5 minutos. Sirva em seguida.

Dica: acompanha arroz branco e salada de folhas. Substitua os legumes por camarões, bacalhau ou frango cozido e desfiado.

Cremoso de chuchu com pimenta

 35 minutos 8 porções

INGREDIENTES

2 chuchus cozidos
3 claras
1 xícara (chá) de leite
½ xícara (chá) de requeijão
1 colher (sopa) de amido de milho
sal a gosto
pimenta-calabresa a gosto
manteiga para untar

PREPARO

Bata no liquidificador os chuchus, as claras, o leite, o requeijão, o amido de milho e o sal até que fique homogêneo. Por fim, acrescente a pimenta e misture. Coloque em refratários individuais untados e leve-os ao forno médio (180 °C) preaquecido por 20 minutos.

Dica: substitua o chuchu por cenoura, beterraba ou batata.

Bruschetta de abobrinha

 25 minutos   12 porções

INGREDIENTES

1 pão italiano cortado em fatias
2 abobrinhas médias
¼ de xícara (chá) de azeite de oliva
1 cebola cortada em pétalas
2 xícaras (chá) de tomates-cereja
    cortados ao meio
½ xícara (chá) de folhas de manjericão
sal a gosto
queijo parmesão ralado grosso a gosto

PREPARO

Coloque as fatias de pão italiano em uma assadeira, regue-as com um fio de azeite e leve ao forno médio (180 °C) preaquecido por 10 minutos. Enquanto isso: corte as abobrinhas em fatias finas. Aqueça o azeite em uma panela e doure as fatias de abobrinha. Acrescente a cebola e deixe murchar. Retire a panela do fogo, junte o tomate, o manjericão, o sal e misture delicadamente. Coloque uma porção sobre cada fatia quentinha de pão italiano e, se quiser, decore com parmesão ralado grosso.

Dica: varie a receita, substituindo a abobrinha por berinjela e pimentão.

Quiabo no fubá

 40 minutos   10 porções

INGREDIENTES

1 kg de quiabo
sal a gosto
pimenta-calabresa a gosto
4 ovos
½ xícara (chá) de leite
3 xícaras (chá) de fubá
1½ xícara (chá) de farinha de trigo
óleo quente para fritar

PREPARO

Corte o quiabo em pedaços e lave bem na água corrente para tirar o excesso de baba. Em seguida, seque bem e tempere com sal e pimenta-do-reino. Bata os ovos com o leite com o auxílio de um garfo e, em outro recipiente, misture o fubá com a farinha de trigo. Passe o quiabo na mistura de leite, na mistura do fubá, novamente na mistura de leite e na mistura de fubá. Frite-os no óleo quente até que estejam dourados e coloque sobre papel absorvente para escorrer o excesso de óleo da fritura.

Dica: de janeiro a março, é época de quiabo! Aproveite para preparar esta delícia.

Tortas e
pães salgados

Torta de carne-seca

 45 minutos   8 porções

INGREDIENTES

Recheio
4 colheres (sopa) de azeite de oliva
1 cebola picada
2 tomates picados
½ kg de carne-seca dessalgada, cozida e desfiada
orégano a gosto
sal e pimenta-do-reino a gosto
1 lata de milho verde
½ xícara (chá) de azeitonas verdes

Massa
350 g de farinha de trigo
½ xícara (chá) de queijo parmesão ralado
sal a gosto
3 colheres (sopa) de requeijão cremoso
2 gemas
150 g de margarina (em temperatura ambiente)
1 colher (chá) de fermento em pó
1 gema para pincelar

PREPARO

Recheio
Em uma panela, aqueça o azeite e refogue a cebola. Junte os tomates e cozinhe por alguns minutos. Acrescente a carne-seca, o orégano, a pimenta-do-reino, o sal, o milho verde e as azeitonas. Cozinhe por alguns minutos, desligue o fogo e deixe esfriar.

Massa
Em um recipiente, coloque a farinha de trigo, o queijo parmesão ralado, o sal, o requeijão cremoso, as gemas, a margarina e o fermento. Mexa com as mãos até obter uma massa homogênea. Sove sobre uma superfície lisa.
Com auxílio de um rolo, abra ⅔ da massa e forre uma fôrma redonda (nº 25), untada e polvilhada. Abra a massa da tampa sobre filme de PVC. Reserve.
Distribua o recheio no interior da fôrma e cubra a torta. Pincele com a gema e leve ao forno médio (180 ºC), preaquecido, por 35 minutos. Sirva a seguir.

Quiche de abobrinha com calabresa

 55 minutos 8 porções

INGREDIENTES

Massa
2 xícaras (chá) de farinha de trigo
1 ovo levemente batido
2 colheres (sopa) de margarina
1 colher (café) de sal
½ xícara (chá) de leite

Recheio
3 gomos de linguiça calabresa
2 abobrinhas grandes raladas
1 xícara (chá) de queijo parmesão ralado
sal e pimenta-do-reino a gosto
3 ovos (gemas e claras separadas)
2 colheres (sopa) de farinha de trigo
100 g de mozarela ralada

PREPARO

Em um recipiente, coloque a farinha de trigo, o ovo, a margarina e o sal. Misture os ingredientes com as mãos e acrescente o leite aos poucos até a massa formar uma bola. Deixe descansar por uns 15 minutos.
Abra a massa com o auxílio de um rolo e forre com ela uma fôrma redonda canelada, untada e polvilhada. Distribua o recheio sobre a massa e polvilhe a mozarela ralada.
Leve ao forno médio (180 °C), preaquecido, e asse por 15 minutos.

Recheio

Fatie finamente a linguiça calabresa e frite-a na própria gordura. Reserve.
Em uma vasilha, coloque as abobrinhas raladas, o queijo parmesão, a linguiça calabresa, a pimenta, o sal, as gemas (levemente batidas) e a farinha de trigo. Misture bem os ingredientes e adicione as claras em neve, incorporando-as delicadamente.

Torta prática de liquidificador

⏱ 35 minutos   ◎ 10 porções

INGREDIENTES

Massa
4 ovos
2 xícaras (chá) de azeite de oliva
2 xícaras (chá) de leite
2 xícaras (chá) de farinha de trigo
1 colher (chá) de sal
1 colher (sopa) de fermento em pó

Recheio
150 g de presunto em fatias
3 tomates sem pele e sem sementes picados
1½ xícara (chá) de requeijão
2½ xícaras (chá) de mozarela ralada

Cobertura
½ xícara (chá) de pão torrado e ralado
½ xícara (chá) de parmesão ralado grosso

PREPARO

No liquidificador, bata os ovos, o azeite de oliva, o leite, a farinha de trigo e o sal até que fique homogêneo. Junte o fermento e misture delicadamente. Coloque metade da massa em uma assadeira untada com óleo e polvilhada com pão torrado e ralado. Por cima, coloque metade das fatias de presunto, espalhe o requeijão, o tomate e a mozarela e finalize com o restante das fatias de presunto. Despeje o restante da massa sobre todo o recheio. À parte, misture o pão torrado e ralado com o parmesão e salpique sobre a massa. Leve para assar no forno médio (180 °C), preaquecido, por aproximadamente 40 minutos ou até dourar.

Dica: esta receita é ideal para o lanche da tarde. Na hora de bater a massa, aproveite para colocar temperos como orégano ou ervas finas.

Pão salgado

⏱ 1 hora e 15 minutos   ◎ 6 unidades

INGREDIENTES
2 tabletes de fermento para pão (30 g)
1 colher (café) de sal
1 xícara (chá) de leite morno
2 colheres (sopa) de açúcar
2 ovos levemente batidos
½ xícara (chá) de óleo
1 kg de farinha de trigo

PREPARO
Em um recipiente, esfarele o fermento, junte o sal e misture até ficar líquido. Acrescente o leite morno, mexa e reserve.
Numa tigela grande, coloque o açúcar, os ovos, o óleo, o fermento reservado e mexa bem. Adicione a farinha de trigo aos poucos, até obter uma massa que desgrude das mãos. Numa superfície lisa, sove a massa.
Modele os pães, coloque-os em fôrmas e deixe descansar até dobrar de volume.
Leve ao forno baixo (150 °C), preaquecido, para assar por cerca de 15 minutos. Aumente a temperatura do forno para médio (180 °C) e asse por mais 25 minutos, até dourar.
Sirva a seguir.

Pão de azeitona

⏲ 50 minutos   ◎ 12 unidades

INGREDIENTES
1 tablete de fermento para pão (15 g)
2 colheres (sopa) de açúcar
½ litro de água morna
2 colheres (sopa) de manteiga
1 colher (sopa) de sal
1 xícara (chá) de azeitonas pretas picadas
1 kg de farinha de trigo
1 gema batida para pincelar

PREPARO
Em um recipiente, dissolva o fermento no açúcar. Acrescente a água morna, a manteiga, o sal, as azeitonas pretas e misture bem.
Junte a farinha peneirada, aos poucos, mexendo sempre, até que obtenha uma massa homogênea. Deixe descansar até que a massa dobre de volume. Sove novamente a massa e modele os pães. Coloque em uma assadeira untada e enfarinhada, pincele os pães com a gema e leve ao forno médio (180 ºC), preaquecido. Asse por cerca de 20 minutos ou até que fiquem dourados. Sirva a seguir.

Pizza de liquidificador

 45 minutos   2 porções

INGREDIENTES

1 ovo
1 xícara (chá) de leite
2 colheres (sopa) de óleo
1 colher (sopa) de açúcar
½ colher (sopa) de fermento seco
    para pão
1 colher (chá) de sal
2 xícaras (chá) de farinha de trigo
1 ½ xícara (chá) de molho de tomate
1 xícara (chá) de presunto moído
salsinha picada a gosto
½ cebola fatiada
1 xícara (chá) de queijo prato ralado
    grosso
azeitonas pretas a gosto

PREPARO

No liquidificador, bata bem o ovo, o leite, o óleo, o açúcar, o fermento e o sal. Despeje em um recipiente, acrescente a farinha de trigo e misture até que fique homogêneo. Coloque em uma assadeira untada e polvilhada. Misture o molho com o presunto e a salsinha e espalhe sobre a massa. Disponha as fatias de cebola e cubra com o queijo. Decore com as azeitonas e leve para assar no forno médio (180 °C), preaquecido, por 30 minutos ou até que a massa fique dourada e o queijo derreta.

Dica: esta massa é muito versátil. Portanto, use a criatividade e varie os recheios!

Bauru de forno

 1 hora  8 porções

INGREDIENTES

Massa
1 tablete de fermento para pão (15 g)
sal a gosto
1 copo de leite morno (tipo requeijão)
700 g de farinha de trigo
1 colher (sopa) de manteiga
2 ovos batidos
1 ovo para pincelar

Recheio
maionese de azeitonas (opcional)
300 g de presunto em fatias
3 tomates grandes
1 cebola
sal a gosto
pimenta-do-reino branca
orégano e azeite a gosto
300 g de mozarela em fatias

PREPARO

Massa
Coloque o fermento esfarelado num recipiente e adicione o sal. Misture até ficar líquido, junte o leite morno e reserve.
Coloque a farinha de trigo (reserve um pouco) numa tigela, junte a manteiga, os ovos batidos, o fermento reservado e misture bem. Adicione a farinha reservada, e misture com o auxílio das mãos, até que a massa desgrude delas.
Sobre uma superfície enfarinhada, sove a massa e deixe-a descansar por 15 minutos.
Divida-a em duas partes iguais e abra uma das partes com o auxílio de um rolo. Coloque em uma assadeira retangular nº 4, untada e polvilhada. Espalhe a maionese de azeitonas (opcional), coloque as fatias de presunto, os tomates, a cebola e tempere com o sal, a pimenta-do-reino, o orégano e o azeite. Cubra com as fatias de mozarela.
Abra a outra parte da massa, procedendo da mesma forma, e cubra o bauru. Pincele com a gema e deixe descansar até dobrar de volume.
Leve ao forno baixo (150 ºC), preaquecido, e asse por 15 minutos. Aumente a temperatura do forno para médio (180 ºC) e asse por cerca de 20 minutos mais.

Dica: se sobrar massa, faça pãezinhos e asse junto com o bauru.

Tortas e pães doces

Pão doce para o lanche

 1 hora 40 unidades

INGREDIENTES
2 tabletes de fermento para pão (30 g)
uma pitada de sal
1 copo (tipo requeijão) de leite morno
1 kg de farinha de trigo
5 colheres (sopa) de açúcar
5 ovos levemente batidos
1 copo de óleo (tipo americano)
gema para pincelar

PREPARO
Num recipiente, esfarele o fermento e junte o sal. Misture até ficar líquido. Acrescente o leite morno e reserve. Numa tigela, coloque a farinha, o açúcar, os ovos, o óleo e o fermento reservado. Misture bem com uma colher de pau, até obter uma massa uniforme.
Transfira a massa para uma superfície lisa e enfarinhada e sove-a. Volte para a tigela, cubra com um pano, deixe descansar por cerca de 5 minutos e modele os pães.
Divida a massa em pequenas porções. Pegue uma porção e faça dois rolos com a massa. Trance-os entre si. Coloque as tranças em uma assadeira levemente untada e polvilhada. Deixe dobrar de volume, pincele-as com a gema e leve ao forno baixo (150 ºC), preaquecido, por 30 minutos ou até começar a dourar.

Torta cremosa de banana

 50 minutos 8 porções

INGREDIENTES

Massa
1 pacote de biscoito de leite
100 g de manteiga

Recheio
6 bananas-nanicas maduras
1½ xícara (chá) de açúcar
¾ de xícara (chá) de água
1 envelope de gelatina em pó incolor e sem sabor (12 g)
1 lata de creme de leite
3 claras

Cobertura
200 g de chocolate meio amargo picado
1 lata de creme de leite
banana-passa ou chips doce de banana para decorar (opcional)

PREPARO

Massa
Coloque os biscoitos no liquidificador e bata até obter uma farofa. Transfira para um recipiente, junte a manteiga e misture bem até formar uma bola de massa.
Forre o fundo de uma fôrma de aro removível com a massa, apertando com os dedos. Leve à geladeira.

Recheio
Em uma panela, coloque as bananas picadas, metade do açúcar e meia xícara (chá) de água. Leve ao fogo e deixe cozinhar por cerca de 10 minutos ou até que a banana fique macia.
Hidrate a gelatina em ¼ de xícara (chá) de água e dissolva em banho-maria.
Coloque no liquidificador a banana cozida, a gelatina dissolvida, o creme de leite, e bata até ficar homogêneo.
Bata as claras, acrescentando o açúcar restante aos poucos, sem parar de bater, até o ponto de neve.
Misture as claras em neve ao creme de banana, mexendo delicadamente.
Distribua o creme sobre a massa e leve à geladeira por cerca de 4 horas ou até que fique firme.

Cobertura
Derreta o chocolate em banho-maria, junte o creme de leite e misture até ficar homogêneo.
Desenforme a torta, despeje a cobertura e decore com banana-passa (opcional).

Sonho

 2 horas   30 unidades

INGREDIENTES

Massa
2 tabletes de fermento para pão (30 g)
1 colher (café) de sal
1 xícara (chá) de leite
4½ xícaras (chá) de farinha de trigo
2 colheres (sopa) de açúcar
2 colheres (sopa) de manteiga
2 ovos inteiros
2 gemas
gotas de essência de baunilha
óleo para fritar
açúcar para polvilhar

Recheio
½ litro de leite
2 colheres (sopa) de manteiga
1 xícara (chá) de açúcar
3 colheres (sopa) de farinha de trigo
3 gemas
raspas de limão

PREPARO

Massa
Em um recipiente, esfarele o fermento, adicione o sal e mexa até ficar líquido. Coloque o leite morno, misture e reserve.

Em um recipiente, coloque a farinha, o açúcar, a manteiga, os ovos, as gemas levemente batidas, a baunilha e o fermento reservado. Mexa com o auxílio de uma colher até obter uma massa uniforme. Transfira a massa para uma superfície lisa e enfarinhada e sove-a. Deixe descansar por aproximadamente 15 minutos.

Pegue porções da massa e faça bolinhas. Acomode-as em uma assadeira retangular polvilhada com farinha. Cubra com um pano e deixe descansar até dobrar de volume.

Frite os sonhos em óleo não muito quente. Escorra em papel absorvente e deixe esfriar.

Corte-os ao meio com o auxílio de uma faca, distribua o recheio e polvilhe açúcar sobre eles.

Recheio
Em uma panela, coloque o leite (reserve um pouco), a manteiga, o açúcar, a farinha dissolvida no leite reservado e as gemas levemente batidas. Leve ao fogo e cozinhe, sem parar de mexer até engrossar. Desligue o fogo e adicione as raspas de limão.

Tortinha frita de banana

 40 minutos 10 unidades

INGREDIENTES

Massa
1½ xícara (chá) de farinha de trigo peneirada
4 colheres (sopa) de manteiga gelada
1 colher (chá) de fermento em pó
uma pitada de sal
6 colheres (sopa) de água gelada
1 clara para pincelar
óleo para fritar

Recheio
4 bananas-nanicas picadas
¾ de xícara (chá) de açúcar
1 colher (sopa) de suco de limão
1 colher (sopa) rasa de farinha de trigo
½ xícara (chá) de água
canela em pó a gosto

PREPARO

Massa
Em um recipiente, coloque a farinha de trigo a manteiga gelada, o fermento, o sal e misture até obter uma farofa. Acrescente a água gelada, mexa e trabalhe a massa até que fique homogênea e não grude nas mãos. Embrulhe em filme de PVC e leve à geladeira por 30 minutos.

Recheio
Em uma panela, coloque a banana, o açúcar, o suco de limão e leve ao fogo para cozinhar por cerca de 10 minutos. Junte a farinha de trigo dissolvida na água e, mexendo sempre, cozinhe por mais alguns minutos até começar a engrossar. Acrescente a canela em pó, misture e deixe esfriar.
Abra a massa com o auxílio de um rolo sobre uma superfície enfarinhada e corte quadrados de cerca de 10 cm. Coloque uma porção do recheio e feche a tortinha, pressionando as laterais com as pontas dos dedos para que a massa não abra enquanto frita. Pincele a lateral com a clara para vedar bem.
Aqueça bem o óleo e mergulhe a tortinha, uma por vez, virando-a de vez em quando, até que fique dourada.
Escorra sobre papel absorvente e sirva.

Bolos e docinhos

Bolo prestígio

 55 minutos   10 porções

INGREDIENTES
3 ovos (gemas e claras separadas)
2 xícaras (chá) de açúcar
3 colheres (sopa) de margarina
1½ xícara (chá) de leite
1 xícara (chá) de chocolate em pó
3 xícaras (chá) de farinha de trigo
1 colher (sobremesa) de fermento em pó

Recheio de cocada
150 g de coco ralado
1 lata de leite condensado
½ xícara (chá) de leite
alguns cravos da índia

Cobertura
1 lata de creme de leite sem soro
200 g de chocolate ao leite

PREPARO
Bata as claras em neve e reserve.
Na batedeira, bata o açúcar, as gemas e a margarina até obter um creme fofo. Desligue a batedeira e junte o leite, o chocolate em pó e a farinha de trigo. Volte a bater até obter um creme homogêneo. Desligue a batedeira e acrescente o fermento em pó e as claras em neve. Misture delicadamente. Despeje em assadeira untada e polvilhada e leve ao forno baixo (150 ºC), preaquecido, por 15 minutos. Aumente a temperatura do forno para médio (180 ºC), e deixe o bolo assar até dourar. Divida o bolo ao meio e recheie-o com a cocada. Cubra-o com a cobertura de chocolate derretido.

Recheio
Em uma panela, leve os ingredientes ao fogo baixo e cozinhe, mexendo sempre até começar a desgrudar do fundo da panela.

Cobertura
Derreta o chocolate em banho-maria, junte o creme de leite e mexa até obter um creme homogêneo.

Bolo de tapioca

 40 minutos   12 porções

INGREDIENTES

3 xícaras (chá) de farinha de tapioca granulada
leite para deixar a tapioca de molho
4 ovos
2 xícaras (chá) de açúcar
1 xícara (chá) de manteiga
1 xícara (chá) de farinha de trigo
1 vidro pequeno de leite de coco
1 xícara (chá) de leite
3 colheres (sopa) de queijo parmesão ralado
2 colheres (chá) de fermento em pó
manteiga para untar
farinha de trigo para polvilhar
leite condensado a gosto
coco em fita para decorar

PREPARO

Cubra a tapioca com o leite e deixe-a de molho por 2 horas. Esprema-a bem para retirar todo o excesso de leite. Reserve.
Na batedeira, bata bem os ovos com o açúcar e a manteiga. Junte a farinha de trigo aos poucos, a farinha de tapioca reservada, o leite de coco, o leite, o queijo parmesão e o fermento e misture delicadamente até deixar homogêneo.
Despeje em uma fôrma para pudim untada e polvilhada. Leve para assar em forno médio (180 °C), preaquecido, por 40 minutos ou até que fique dourado.
Desenforme, regue com o leite condensado e decore com o coco em fitas.

Bolo pão de queijo

 55 minutos   8 porções

INGREDIENTES

½ copo de óleo
1 copo de leite
3 ovos
1 colher (café) de sal
200 g de queijo mozarela ralado
3 copos de polvilho doce
1 colher (sopa) de fermento em pó
queijo parmesão ralado para polvilhar

PREPARO

No liquidificador, coloque o óleo, o leite, os ovos e o sal e bata. Adicione a mozarela ralada e bata até que fique homogêneo. Despeje em um recipiente, coloque o polvilho doce e misture com auxílio de uma colher (neste momento, se desejar, adicione salsinha, orégano ou pimenta). A seguir, coloque o fermento. Despeje em uma assadeira redonda de buraco no centro, untada e polvilhada. Leve ao forno preaquecido (200 °C) por 20 a 25 minutos. Decore com queijo ralado.

Dica: unte a fôrma com óleo e polvilhe com queijo parmesão.

Bolo de liquidificador

⏱ 1 hora   ◎ 10 porções

INGREDIENTES

Massa
4 ovos
1 lata de leite condensado
½ xícara (chá) de manteiga
2 xícaras (chá) de farinha de trigo
½ xícara (chá) de amido de milho
1 colher (sopa) de fermento em pó

Cobertura
2 xícaras (chá) de açúcar de confeiteiro
suco de limão, o suficiente

PREPARO

Bata no liquidificador os ovos, o leite condensado e a manteiga dissolvida em banho-maria, até se agregarem. Reserve. Na batedeira coloque a farinha, o amido de milho, ambos peneirados, o fermento em pó e a mistura reservada e bata. Coloque a massa obtida em uma assadeira redonda com buraco no centro, untada e polvilhada. Leve ao forno preaquecido (200 °C) por 20 a 25 minutos. Deixe esfriar. Prepare a cobertura. Coloque o açúcar de confeiteiro em um recipiente e pingue gotas de limão, mexendo sempre até obter um creme. Desenforme e decore com a cobertura e raspas de limão.

Dica: você também pode cobrir o bolo com calda de chocolate ou calda de frutas.

Cupcake com creme de avelã

 30 minutos   10 unidades

INGREDIENTES

Massa
1½ xícara (chá) de açúcar
1½ xícara (chá) de manteiga na temperatura ambiente (300g)
3 ovos
2 xícaras (chá) de farinha de trigo
1 xícara (chá) de leite
1 colher (chá) de essência de baunilha
1 colher (sobremesa) de fermento em pó
1 colher (chá) de bicarbonato de sódio
óleo para untar
farinha de trigo para polvilhar

Cobertura
350 g de creme de avelã
1 caixinha de creme de leite

PREPARO

Massa
Na batedeira, bata o açúcar com a manteiga até obter um creme fofo e esbranquiçado. Sem parar de bater, junte os ovos, um a um, a farinha de trigo, o leite e a essência de baunilha. Bata até obter um creme homogêneo.
Peneire o fermento em pó e o bicarbonato de sódio sobre a massa e misture delicadamente.
Distribua a massa nas fôrmas para cupcakes, previamente untadas com óleo e polvilhadas com farinha de trigo. A massa deverá ocupar pouco mais da metade das forminhas. Leve para assar em forno médio (180 °C), preaquecido, por 15 minutos ou até que estejam dourados. Reserve.

Cobertura
Em um recipiente, misture o creme de avelã e o creme de leite. Deixe na geladeira por 45 minutos.
Decore os cupcakes com o auxílio de um saco de confeiteiro.

Dica: se preferir, use forminhas de papel polvilhadas com farinha de trigo, que devem ser colocadas dentro da fôrma de metal ou de silicone para cupcakes.

Bombom de morango

 30 minutos 10 unidades

INGREDIENTES

Brigadeiro branco
1 lata de leite condensado
1 colher (sopa) de manteiga
6 colheres (sopa) de chocolate branco ralado
1 colher (sopa) de farinha de trigo

Recheio
2 caixas de morangos limpos e firmes
manteiga para untar

Cobertura
500 g de chocolate ao leite hidrogenado para banhar

PREPARO

Brigadeiro branco
Coloque em uma panela, o leite condensado, a manteiga, o chocolate branco ralado e a farinha de trigo. Misture os ingredientes e cozinhe em fogo baixo, mexendo sempre, até desgrudar da panela. Deixe esfriar e reserve.

Montagem
Lave os morangos e reserve.
Unte as mãos com um pouco de manteiga e abra porções do brigadeiro. Envolva os morangos com brigadeiro e acomode-os em uma fôrma forrada com papel-alumínio.
Derreta o chocolate em banho-maria. Segure os morangos pelo cabinho e mergulhe-os no chocolate. Coloque-os na fôrma forrada com papel-alumínio e deixe secar.

Dica: ao lavar os morangos, reserve o cabo com as folhinhas. Substitua o morango por uvas. Conserve-os em geladeira por uma semana.

Trufa de maracujá

 1 hora e 30 minutos ◎ 30 unidades

INGREDIENTES

1 kg de chocolate branco
1 lata de creme de leite sem soro
1 xícara (chá) de suco de maracujá
1 kg de chocolate branco hidrogenado
   para banhar

PREPARO

Derreta o chocolate em banho-maria. Junte o creme de leite, misture e acrescente aos poucos o suco de maracujá. Cubra com papel-alumínio e leve à geladeira por 2 horas.
Com o auxílio de uma colher, modele bolinhas com a massa. Forre uma assadeira com papel-alumínio e acomode as bolinhas.
Derreta o chocolate hidrogenado em banho-maria e mergulhe as trufas uma a uma. Escorra-as sobre a assadeira forrada, e leve para gelar por 1 hora.
Polvilhe chocolate ralado sobre elas e sirva.

Dica: se preferir, cubra as trufas com leite em pó. As trufas de maracujá só podem ser feitas com chocolate branco, mas você poderá banhá-las em chocolate ao leite ou meio amargo.

Sobremesas

Pavê de morango com chocolate

🕐 1 hora   ◎ 10 porções

INGREDIENTES
1 lata de leite condensado
1 lata de leite comum
2 gemas
1 colher (chá) de essência de baunilha
1 colher (sopa) de farinha de trigo
1 lata de creme de leite
100 g de chocolate meio amargo
2 xícaras (chá) de morango
1 xícara (chá) de chantili
1 pacote de biscoito maisena
chantili para cobrir
morangos para decorar

PREPARO
Numa panela, coloque o leite condensado, o leite (reserve um pouco), as gemas levemente batidas, a essência de baunilha, a farinha dissolvida no leite reservado. Misture e leve ao fogo para cozinhar até engrossar. Retire do fogo e junte o creme de leite.
Divida o creme obtido em duas partes. Reserve uma parte.
Em uma parte, junte o chocolate meio amargo picado e mexa até derreter totalmente. Espere esfriar e adicione metade dos morangos picados.
Deixe esfriar a parte reservada do creme, junte o chantili e o restante dos morangos picados.

Montagem
Num refratário, faça uma camada com metade do creme branco. Espalhe metade dos biscoitos e sobre eles coloque o creme de chocolate. Distribua a outra metade dos biscoitos e, por último, o restante do creme branco.
Cubra com o chantili e decore com os morangos. Mantenha na geladeira até servir.

Brownie crocante

⏱ 40 minutos   ◎ 12 porções

INGREDIENTES

300 g de chocolate meio amargo picado
200 g de chocolate ao leite picado
1 xícara (chá) de manteiga
6 ovos
2 xícaras (chá) de açúcar
1½ xícara (chá) de farinha de trigo
1 xícara (chá) de castanha-do-pará picada
cobertura sabor chocolate a gosto
castanha-do-pará para decorar

PREPARO

Coloque o chocolate meio amargo e o chocolate ao leite em uma travessa e cozinhe em banho-maria para derreter. Em seguida, derreta a manteiga e junte a mistura de chocolate. Reserve. Na batedeira, bata os ovos com o açúcar até conseguir um creme claro. Junte a mistura de chocolate reservada e mexa bem até ficar homogêneo. Aos poucos, acrescente a farinha de trigo e a castanha picada e misture. Coloque a massa em uma fôrma untada e polvilhada. Leve para assar no forno médio (180 °C), preaquecido, por aproximadamente 20 minutos. Retire do forno, espere esfriar, corte em pedaços, regue com a cobertura sabor chocolate e decore cada pedaço com a castanha-do-pará.

Dica: você pode substituir a castanha-do-pará por nozes ou amendoim.

Pudim de padaria

 1 hora e 15 minutos   8 porções

INGREDIENTES

Calda
2 xícaras (chá) de açúcar
½ xícara (chá) de água

Pudim
½ litro de leite
3 ovos
50 g de queijo parmesão ralado
50 g de coco ralado
½ kg de açúcar
250 g de farinha de trigo

PREPARO

Calda
Em uma panela, coloque o açúcar e a água. Misture.
Ferva por cerca de 10 minutos em fogo alto, sem mexer, até dar ponto de caramelo. Caramelize uma fôrma de pudim. Reserve.

Pudim
No liquidificador, bata o leite e os ovos. Junte o queijo, o coco e bata mais um pouco até misturar. Adicione o açúcar e a farinha e bata por 2 minutos.
Despeje na fôrma caramelizada e leve para assar em banho-maria no forno médio/alto (200 °C), preaquecido, por cerca de 45 minutos. A fôrma deverá ser colocada no assoalho do forno. Retire do forno e deixe esfriar bem antes de desenformar.

Dica: para variar o sabor, adicione algumas gotas de essência de baunilha quando estiver preparando o pudim.

Pudim de chocolate com coco

 40 minutos   10 porções

INGREDIENTES
2 latas de leite condensado
2½ xícaras (chá) de leite
6 claras
6 gemas peneiradas
6 colheres (sopa) de achocolatado em pó
margarina para untar
2 xícaras (chá) de coco fresco ralado
 para decorar
cerejas frescas a gosto para decorar

PREPARO
Bata no liquidificador o leite condensado, o leite, as claras, as gemas peneiradas e o achocolatado em pó até obter um creme homogêneo. Despeje em uma fôrma para pudim untada com margarina e leve para assar em banho-maria no forno médio (180 °C), preaquecido, por aproximadamente 1 hora e 30 minutos ou até que, ao enfiar um palito, ele saia limpo.
Deixe esfriar bem antes de desenformar. Cubra todo o pudim com o coco fresco ralado e decore com as cerejas frescas.

Dica: cubra bem a fôrma de pudim para que a água do banho-maria não atinja o pudim quando borbulhar.

Arroz-doce caipira

 1 hora    8 porções

INGREDIENTES

1½ xícara (chá) de arroz
1 litro de leite quente
uma pitada de sal
1 colher (chá) de raspas de laranja
1 xícara (chá) de suco de laranja
1 lata de leite condensado
canela em pó para polvilhar
raspas de laranja para decorar

PREPARO

Em uma panela, coloque o arroz lavado e escorrido, o leite quente, o sal e as raspas de laranja. Misture bem e cozinhe por aproximadamente 15 minutos, sem deixar o leite secar.
Adicione o suco de laranja e cozinhe por mais 5 minutos ou até o arroz ficar macio. Desligue o fogo. Junte o leite condensado e misture bem.
Coloque em um recipiente, polvilhe a canela em pó e espalhe as raspas de laranja.
Sirva frio ou quente.

Crepe com frozen de maçã e canela

🕐 55 minutos   ◎ 12 porções

INGREDIENTES
250 ml de leite
1 ovo
1 xícara (chá) de farinha de trigo
1 colher (chá) rasa de açúcar
1 colher (sopa) rasa de manteiga em temperatura ambiente
1 colher (chá) de vinho branco seco
50 ml de conhaque (ou licor de laranja)

Frozen
½ lata de creme de leite sem soro
1 pote de iogurte sabor maçã com canela
2 colheres (sopa) de açúcar

Calda
1 colher (café) de semente de papoula (opcional)
2 colheres (sopa) de açúcar
100 ml de suco de laranja

PREPARO
No liquidificador, coloque o leite, o ovo, a farinha, o açúcar, a manteiga amolecida, o vinho e bata até obter um líquido homogêneo.
Em uma frigideira, redonda e untada com manteiga, coloque uma concha de massa e frite o crepe de um lado e depois de outro.

Frozen
No liquidificador, coloque o creme de leite sem o soro, o iogurte e o açúcar. Bata. Coloque em um recipiente e leve para o freezer por 8 horas. Retire e bata novamente. Conserve no freezer.

Calda
Em uma panela, coloque a semente de papoula (opcional), o açúcar e o suco de laranja. Ferva até o ponto de calda em fio.
Dobre os crepes formando um triângulo. Flambe-os aquecendo o conhaque até que pegue fogo. Em um prato, coloque o crepe, duas colheres de frozen e regue com a calda.

Cumbuca de morango com chocolate

⏱ 35 minutos   ◎ 6 porções

INGREDIENTES
2 xícaras (chá) de chocolate ao leite picado
½ xícara (chá) de manteiga
2 ovos
½ xícara (chá) de açúcar
3 colheres (sopa) de farinha de trigo peneirada
2½ xícaras (chá) de morangos picados

PREPARO
Derreta o chocolate em banho-maria com a manteiga. Enquanto isso, na batedeira, bata os ovos com o açúcar até obter um creme esbranquiçado. Junte com o chocolate derretido com a manteiga e a farinha de trigo peneirada e misture bem. Em potes ou refratários individuais untados e enfarinhados, coloque uma porção de morango picado e complete com a mistura de chocolate. Leve ao forno médio (180 °C), preaquecido, por 15 minutos e sirva em seguida.

Dica: substitua o morango por banana em rodelas.

Abacaxi caramelizado

🕐 15 minutos ⊙ 8 porções

INGREDIENTES

2 xícaras (chá) de açúcar
4 colheres (sopa) de água
1 cálice de caldo de laranja ou rum
1 abacaxi cortado em rodelas

PREPARO

Em uma panela, coloque o açúcar, a água, o caldo de laranja e deixe apurar até que comece a obter um caramelo. Coloque as rodelas de abacaxi, deixe por 4 minutos, virando de vez em quando, e sirva.

Doce de coco

 20 minutos   8 porções

INGREDIENTES

3 xícaras (chá) de açúcar
1 xícara (chá) de água
cravo-da-índia a gosto
1 coco médio ralado

PREPARO

Numa panela, coloque o açúcar, a água, o cravo e deixe ferver até obter uma calda em ponto de fio. Coloque o coco ralado e deixe apurar, mexendo sempre, até que fique em ponto de cocada mole.

Dica: caso prefira o coco já ralado, utilize 2 xícaras (chá) nesta receita.

Manjar com calda de vinho

45 minutos   8 porções

INGREDIENTES

Manjar
1 litro de leite
2 xícaras (chá) de açúcar
1 vidro de leite de coco
1 xícara (chá) de amido de milho
1 xícara (chá) de coco fresco ralado

Calda
1 xícara (chá) de ameixa seca cortada em tiras
1 xícara (chá) de damasco seco cortado em tiras
1 xícara (chá) de vinho tinto
1 colher (sopa) de amido de milho
1 xícara (chá) de água
2 paus de canela
2 cravos-da-índia
6 colheres (sopa) de açúcar

PREPARO

Em uma panela, coloque todos os ingredientes do manjar e misture bem até que o amido se dissolva completamente. Leve ao fogo médio, mexendo sempre, por 15 minutos ou até que engrosse. Despeje em uma fôrma para pudim molhada e espere esfriar. Deixe na geladeira por uma hora ou até que fique firme. Prepare a calda. Em uma panela, coloque a ameixa, o damasco, o vinho, o amido de milho dissolvido na água, a canela, o cravo e o açúcar e, mexendo sempre, deixe apurar até que as frutas amoleçam e a calda fique encorpada. Desenforme o manjar e cubra-o com a calda.

Merengue de banana

 45 minutos   8 porções

INGREDIENTES

Doce de banana
8 bananas-nanicas
suco de limão
2 xícaras (chá) de açúcar
1 pau de canela

Creme
½ litro de leite
4 colheres (sopa) de açúcar
1 colher (sopa) de manteiga
3 gemas
gotas de essência de baunilha
3 colheres (sopa) de amido de milho

Merengue
3 claras em neve
6 colheres (sopa) de açúcar
raspas de limão
1 colher (café) de cremor de tártaro (opcional)
raspas de limão para decorar

PREPARO

Doce de banana
Em uma panela, coloque as bananas picadas, o suco de limão, o açúcar e o pau de canela. Leve ao fogo baixo e cozinhe por 12 minutos. Retire do fogo e reserve.

Creme
Em uma panela, coloque o leite, reservando um pouco, o açúcar, a manteiga, as gemas passadas pela peneira, as gotas de baunilha e o amido de milho dissolvido no leite reservado. Leve ao fogo e cozinhe por cerca de 5 minutos, mexendo sempre, até engrossar. Retire do fogo e despeje em um refratário.

Merengue
Na batedeira, coloque as claras e adicione aos poucos o açúcar, as raspas de limão e o cremor de tártaro (opcional), batendo até atingir o ponto de merengue. Reserve.

Montagem
Distribua o doce de banana sobre o creme e sobre ele o merengue, com o auxílio de um saco de confeiteiro com bico de pitanga.
Leve ao forno médio (180 °C), preaquecido, por 3 minutos para dourar o merengue.
Deixe esfriar e leve à geladeira. Salpique raspas de limão e sirva.

Dica: o cremor de tártaro deixa o suspiro mais sequinho.

Musse de manga

 40 minutos   8 porções

INGREDIENTES

Calda
1 manga grande e madura
½ xícara (chá) de água
½ xícara (chá) de açúcar

Musse
1 pote de iogurte natural
2 mangas grandes
1 envelope de gelatina em pó sem sabor (12 g)
4 claras
4 colheres (sopa) de açúcar

PREPARO

Calda
No liquidificador, coloque a manga cortada em pedaços, a água, o açúcar e bata bem.
Coloque o líquido obtido em uma panela e leve ao fogo. Após levantar fervura, cozinhe por cerca de 3 minutos, até engrossar levemente. Desligue o fogo, deixe esfriar e reserve.

Musse
No liquidificador, coloque o iogurte, as mangas em pedaços, a gelatina hidratada conforme as instruções da embalagem e bata até obter um creme homogêneo. Reserve.
Bata as claras, adicionando o açúcar aos poucos até obter o ponto de neve. Desligue a batedeira e misture delicadamente as claras em neve ao creme de manga.
Coloque em um refratário de vidro, molhado previamente. Leve à geladeira por aproximadamente 4 horas. Sirva com a calda.

Dica: substitua o iogurte por 1 lata de creme de leite sem soro.

Creme fácil de castanha-do-pará

 30 minutos   4 porções

INGREDIENTES
4 ovos
2 xícaras (chá) de leite
2 xícaras (chá) de açúcar
100 g de castanha-do-pará moída
1 colher (café) de essência de baunilha
canela em pó a gosto

PREPARO
Na batedeira, bata bem os ovos, o leite, o açúcar, a castanha e a essência. Despeje em forminhas para suflê untadas com manteiga e leve ao forno médio (180 °C), preaquecido, por cerca de 25 minutos. Polvilhe a canela em pó e sirva.

Dica: salpique o creme com chocolate picado antes de levar para assar. Fica uma delícia!

Manjar com calda de frutas vermelhas

 45 minutos   10 porções

INGREDIENTES
1 xícara (chá) de amido de milho
1 litro de leite
2 xícaras (chá) de açúcar
1 vidro de leite de coco
1½ xícara (chá) de coco fresco ralado

Calda
2½ xícaras (chá) de morangos picados
1½ xícara (chá) de açúcar
1 xícara (chá) de framboesa
1 colher (sopa) de amido de milho
½ xícara (chá) de água

PREPARO
Dissolva o amido de milho no leite. Coloque em uma panela o leite com o amido, o açúcar, o leite de coco, o coco fresco e misture bem. Leve a panela ao fogo médio, mexendo sempre, por aproximadamente 15 minutos ou até que engrosse.
Despeje a mistura em uma fôrma para pudim previamente molhada. Deixe esfriar e leve à geladeira por 2 horas.

Calda
Coloque em uma panela o morango, o açúcar, a framboesa, o amido de milho dissolvido na água e, mexendo sempre, deixe apurar até que comece a engrossar. Retire a panela do fogo e deixe a calda esfriar. Desenforme o manjar e cubra-o com a calda.

Flan de goiaba

 30 minutos   10 porções

INGREDIENTES

500 ml de suco de goiaba
1 lata de leite condensado
½ xícara (chá) de suco de limão
4 claras
2 colheres (sopa) de açúcar
1 envelope de gelatina sem sabor (12 g)
4 colheres (sopa) de água
óleo para untar

PREPARO

No liquidificador, coloque o suco de goiaba, o leite condensado e o suco de limão. Bata bem e reserve. Na batedeira, coloque as claras e bata, acrescentando o açúcar aos poucos, até atingir o ponto de neve. Junte o creme reservado e a gelatina hidratada conforme as instruções da embalagem. Misture delicadamente.
Coloque em uma fôrma untada com um fio de óleo e leve para gelar por 4 horas. Desenforme e sirva com calda de goiaba ou de frutas.

Dica: para preparar a calda de goiaba, leve ao fogo ½ xícara (chá) de goiabada picada e 1 xícara (chá) de água, até derreter. Espere esfriar e despeje sobre o flan.

Doce de banana

⏱ 30 minutos ◎ 8 porções

INGREDIENTES

2 xícaras (chá) de açúcar
10 bananas-nanicas
1 copo (tipo requeijão) de suco de laranja
1 colher (chá) de canela em pó

PREPARO

Em uma panela, coloque 1 xícara (chá) de açúcar e derreta até obter um caramelo. Junte as bananas amassadas com o garfo, o restante do açúcar e o suco de laranja. Mexa a cada ingrediente adicionado. Junte a canela em pó e deixe apurar até que as bananas escureçam (aproximadamente 15 minutos).
Para bananas com calda: derreta 2 xícaras (chá) de açúcar em uma panela. A seguir, junte um pouco de água e deixe o caramelo derreter novamente. Coloque uma banana descascada e cozinhe por cerca de 5 minutos.

Dica: para as bananas não escurecerem após descascadas, coloque gotas de limão. Se desejar, corte as bananas em rodelas em vez de amassá-las.

Doce de chocolate

⏱ 45 minutos ◎ 6 porções

INGREDIENTES

1 lata de leite condensado
1 xícara (chá) de chocolate meio amargo picado
1 colher (sopa) de manteiga
1 pacote pequeno de coco ralado

PREPARO

Em uma panela, coloque o leite condensado, o chocolate picado, a manteiga e leve ao fogo, mexendo sempre, até que comece a aparecer o fundo da panela. Acrescente o coco ralado, misture por mais 2 minutos e sirva quente ou frio.

Pera ao molho de vinho

🕐 1 hora   ◎ 4 porções

INGREDIENTES
4 peras
4 cravos-da-índia
½ xícara (chá) de água
½ xícara (chá) de vinho tinto seco
suco de 1 limão
2 colheres (sopa) de açúcar
1 canela em pau

PREPARO
Coloque em uma panela as peras, os cravos, a água, o vinho, o suco de limão, o açúcar e a canela. Leve ao fogo médio até levantar fervura e até que as peras adquiram cor avermelhada e consistência macia.

Dica: sirva com sorvete de creme.

Cheesecake das crianças

 30 minutos   12 porções

INGREDIENTES

Massa
1 pacote de biscoito maisena
100 g de manteiga em temperatura ambiente
½ xícara (chá) de açúcar
2 colheres (sopa) de chocolate em pó

Recheio
3 ovos
2 potes de cream cheese
1 lata de leite condensado

Cobertura
1 xícara (chá) de geleia de morango
morangos a gosto para decorar

PREPARO

Massa
Coloque os biscoitos no liquidificador e bata até obter uma farofa. Transfira para um recipiente, junte a manteiga, o açúcar, e o chocolate em pó e misture bem até formar uma bola de massa.
Forre o fundo de uma fôrma de aro removível com a massa, apertando com os dedos. Reserve.

Recheio
No liquidificador, bata os ovos, o cream cheese e o leite condensado, até obter um creme homogêneo. Distribua o creme sobre a massa e leve ao forno médio (180 ºC), preaquecido, por 30 minutos ou até que o recheio fique firme. Deixe esfriar.

Cobertura
Espalhe a geleia sobre o cheesecake e decore com os morangos cortados ao meio.

Dica: para variar, substitua a geleia por gelatina de morango, preparada conforme as instruções da embalagem. Espere ela começar a firmar antes de distribuir sobre o cheesecake. Leve à geladeira.

Índice alfabético das receitas

Abacaxi caramelizado 139
Alcatra ao molho de champignon 44
Anéis de cebola 96
Arroz chinês 93
Arroz-doce caipira 136
Atum com gergelim 67
Bacalhau ao alho e óleo 65
Badejo ao molho de ervas 71
Batata ao pesto 98
Bauru de forno 112
Berinjela picante 24
Bisteca ao molho de maracujá 50
Bolo de liquidificador 125
Bolo de tapioca 122
Bolo pão de queijo 124
Bolo prestígio 121
Bombom de morango 127
Brownie crocante 132
Bruschetta de abobrinha 102
Cação com molho de camarão 73
Camarão na moranga 74
Carne com brócolis e gergelim 41
Carneiro ao molho de hortelã 51
Chantili 22
Cheesecake das crianças 149
Concha com quatro queijos 86
Costelinha de porco com mel 47
Creme de beterraba 34

Creme de palmito 30
Creme fácil de castanha-do-pará 144
Cremoso de chuchu com pimenta 100
Crepe com frozen de maçã e canela 137
Croquetinhos de mandioca 27
Cumbuca de morango com chocolate 138
Cupcake com creme de avelã 126
Cuscuz de camarão 76
Doce de banana 147
Doce de chocolate 147
Doce de coco 139
Esfirra de escarola 28
Espaguete à carbonara 83
Espaguete à moda árabe 88
Espaguete ao pesto 88
Estrogonofe de frango 58
Farofa da vovó 95
Filé-mignon com mostarda 39
Flan de goiaba 146
Frango ao molho de espinafre 62
Frango com especiarias 59
Frango com pera 54
Frango crocante com molho 53
Frango xadrez 55
Frigideira de calabresa com banana verde 45
Gratinado de couve-flor 97
Gravatinha ao molho com presunto 82
Gravatinha com creme verde 85

Hambúrguer de frango ao molho rosado	63
Lasanha de atum	89
Macarrão ao molho de shitake	83
Manjar com calda de frutas vermelhas	145
Manjar com calda de vinho	141
Marshmallow	22
Massa para salgadinhos fritos	21
Medalhões com molho de mostarda	40
Merengue de banana	142
Molho branco	22
Molho de tomate	21
Moqueca rápida de robalo	66
Musse de manga	143
Pão de azeitona	109
Pão de ló	22
Pão doce para o lanche	114
Pão salgado	108
Pavê de morango com chocolate	131
Penne com salmão defumado	81
Pera ao molho de vinho	148
Pernil assado ao molho Dijon	48
Peru ao molho de vinho	57
Pescada com molho de iogurte	70
Picadinho especial	43
Pizza de liquidificador	111

Polenta cremosa	91
Pudim de chocolate com coco	134
Pudim de padaria	133
Quiabo no fubá	102
Quiche de abobrinha com calabresa	106
Risoto de queijo	92
Salada ao molho de guacamole	35
Salada Caesar de agrião	37
Salada de macarrão	79
Salada de verão	32
Salmão com pirão de leite de coco	72
Salpicão de frango	60
Sardela	25
Sardinha marinada	77
Sonho	117
Sopa creme de mandioquinha	31
Tainha recheada	69
Talharim cremoso com presunto	84
Torta cremosa de banana	116
Torta de carne-seca	105
Torta prática de liquidificador	107
Tortilha de carne moída	46
Tortilha de legumes	99
Tortinha frita de banana	119
Trufa de maracujá	129